崔殊旼（최수민）——著 林侑毅——譯

목차 독서법: 당장 실천 가능한 세상 심플한 독서 노하우

一天10分鐘的精準閱讀力

解決沒時間看書、讀過就忘、無法活用知識的閱讀筆記技巧

目錄

第3章 用「抄寫」的閱讀有什麼優勢？

目錄

好評推薦

「本書抄寫目錄的閱讀法，正是古人所說的『讀書要眼到、手到、心到』。抄寫更能保持高度專注、加深記憶。」

——Ada，筆記女王

「讀書之前先看目錄，持續抄寫後，重整同一領域作品的目錄，揪出隱藏在目錄後的模組架構，就能系統化掌握作品全貌，增強閱讀速度與理解力。」

——王乾任，《超快速讀書法》作者

「時間碎片化已是不可逆的現象，與其感嘆變化，不如從這本書中，找到新時代接收知識的方法。」

——劉俊佑（鮪魚），生鮮時書創辦人

「每天10分鐘的閱讀，就是知識複利的累積，目錄閱讀法就是取其知識的精華建構學習地圖，與大家推薦這本開啟閱讀大門的好書。」

——鄭俊德，閱讀人社群主編

前言
真正有效的閱讀，是從「抄寫」開始

對你而言，什麼是閱讀？

提到「閱讀」，多數人腦海中想到的是「讀」書的行為。如果你是喜愛書本的人，想必心中會對「閱讀」產生正面的情緒，不過如果是討厭書的人，只會敬而遠之。

閱讀等於讀書。

這個想法，就像數學公式般，深深扎根在我們的認知中。只要書本拿在手上，不必誰命令，我們就會開始「讀」書。不禁讓人疑惑，究竟是誰把閱讀等於讀書的觀念強加在我們身上？我想，或許是長久以來的教育和習慣，讓我們不自覺畫地自限。

閱讀等於讀書的觀念，對有些人來說或許並不難，不過對另一些人來說，可能就像一道難解的數學題。

除了「閱讀等於讀書」這個觀念的局限，還有一個值得人們深思的問題，那就是閱讀法。

對你而言，什麼是閱讀法？

世界上最好的閱讀法，必須讓人從頭到尾理解、記住整本書。要是真有這種閱讀法存在，想必世界已經天翻地覆，市售的閱讀法書籍也將充斥著這種方法。

世界上，有不計其數的「閱讀法」。如果這些閱讀法的誕生，能讓閱讀融入人們的日常生活中，當然是最理想的情況。然而，真正因此從事閱讀的人，卻和汗牛充棟的閱讀法不成比例，人們反而在學習閱讀法的過程中備感壓力，覺得閱讀困難重重。這時，閱讀法反倒增加人們閱讀的阻礙，不過本書提及的「目錄閱讀法」一點也不難，**只要從抄寫書籍的目錄開始。**

本書是針對所有年齡層的讀者所撰寫，不分男女老少，任何人都可以執行。不論是對閱讀感到棘手，還是很難讀完一整本書的人，甚至是正經歷閱讀低潮期的讀者，我皆推薦閱讀這本書。

本書用到的「目錄閱讀法」，目的在於抄寫全書的目錄，至於是否閱讀正文就看個人選擇，因為**光是抄寫目錄，就能達到相當於閱讀正文的效果**，而且在抄寫目錄的過程中，自然而然也會想讀正文。

目錄閱讀法還會自然而然地引導讀者思考與思索，因為是透過抄寫來進行閱讀，即使沒有刻意背下來，書中內容也可以記得一輩子。

這本書分為五個章節：

- 第1章介紹目錄閱讀法的意義、構思過程和運用的必要。
- 第2章介紹必須執行目錄閱讀法的原因和效果。
- 第3章介紹目錄閱讀法和其他閱讀法的差別，並說明獨有的優點。

- 第4章會介紹具體執行方法。
- 第5章綜合說明目錄閱讀法的使用方法和特徵。

希望藉由這本書，幫助許多人跳脫「閱讀等於讀書」的局限，將想法轉變為「閱讀等於抄寫」。讀不完整本書，或讀完書卻記不住的人們，都能因此發現，閱讀不再遙不可及，不必勉強硬背，也能記住一輩子，這正是「抄寫的價值」。而半途放棄閱讀，或面臨閱讀低潮期的人們，體內的「閱讀細胞」也將再度被喚醒。

衷心期盼大家都能更熱中閱讀。

第1章

任何人都能輕鬆上手的閱讀法

01 怎麼閱讀才能讀而不忘，改變人生？

「人類造書，書本造人。」

——慎鏞虎，一九一七～二〇〇三年，韓國教保人壽保險創辦人

每到新年，人們總會許下各種願望，像是減肥、考證照、變有錢、就業和考上大學等，各種願望應有盡有。

其中有一個共通的願望——進修。近來不少人開始從事進修，尤其剛脫離學生身分，進入職場工作的成人，需求更是與日俱增。多數上班族投入的進修就是「閱讀」。選擇閱讀的原因有很多，我想，這些人主要的目標，應該是希望透過閱讀改變人生。為了過上比現在更精采、更富裕的生活，他們選擇開始閱讀。

換句話說，這些人所追求的，就是人們常說的「成功」，我也同意閱讀能為人生帶來改變。

書本是度過逆境的原動力

服役期間是我接觸閱讀的契機。我在大學時加入大學儲備軍官訓練團（Reserved Officers Training Corps, ROTC），畢業後直接被任命為軍官。我以為任官後，一切都會一帆風順，然而實際下部隊，才發現並不如我所想像的順利。我除了必須負責各種訓練和兵力管理，還得協調幹部間的關係。此外，我在受訓機構所學的知識，難以應用在部隊上，一切都必須從頭來過。

在我被選為部隊參謀後，沒多久，部隊發生安全事故，我面臨相當嚴峻的考驗。想到那段時間，至今依然餘悸猶存。接踵而來的意外事故，讓我的信心一點一滴崩塌。身處困境中的我，開始接觸書本。那時我在書店偶然讀到的一本書，竟改變了我的人生。從此之後，閱讀成為「我之所以為我」的原動力，而我的軍旅生涯也在不知不覺中畫下句點。

距今大約六年前，我從軍隊退伍。當時，我已經讀完超過一百本以上的書。退伍後，我準備求職。就業又是另一場嚴峻的挑戰，提交的履歷一次次被退回。後來，我抱著最後一試的心情，向現在的公司提交履歷，最後幸運地通過審查。

翻轉讀過就忘的策略

二〇一五年十月，我正式展開出社會後的第一份工作。剛進入公司的我，當時剛從軍隊退伍沒多久，一副天不怕地不怕的樣子，還以為所有工作都能順利完成。然而，被公司錄取的喜悅沒有維持多久，便感受到身為社會新鮮人的我還有許多不足之處。而職場和軍隊不同，所有事情都必須自己學習。在軍隊，主官的角色最重要；職場上，員工扮演著最重要的角色。我一邊熟悉著軍隊和職場的差異，一邊按部就班地學習新事務。在彌補自身不足的過程中，我一次又一次地看見自己的局限。

也許是受惠於軍旅生涯的經驗，每當遭遇危機，我總會下意識選擇閱讀。閱讀促使我去思考，也讓我開始思索職場的本質和未來的發展。不過，在閱讀的過程中，我發現一個遺憾——書讀了，卻沒有留在腦中。忙於職場生活的我，一天有一半以上的時間都待在公司，結果家裡變得一團糟。狹小的房間塞滿了書本，沒有多餘的活動空間，在這樣的環境，我無法集中精神。

因此，為了記住我讀過哪些書，我開始抄寫讀過的書。如今回過頭來看，那段歲月可以說是我執行目錄閱讀法的起點。

目錄閱讀法指目錄「抄寫」閱讀法，是將目錄抄寫在筆記本上閱讀的方法。是從我過去的閱讀經驗和職場生活中，自然而然產出的閱讀法。

每次想到自己即使讀了再多書，也記不起書名，就感到無比茫然。再加上投入職場生活後，閱讀的時間明顯減少，要完整讀完一本書，得花上更多的時間。為了克服這些問題，我開始抄寫書名，並將書中的主要內容整理在一張Ａ４紙上。原本是為了記住我讀過哪些書，並減少閱讀的時間才這麼做，不過，在實際整理書本內容的過程中，卻發現這樣反而花費更多時間，所以我改變策略，從目錄著手。腦中的想法一浮現，我立刻付諸實行。

首先，我把書名和目錄寫在筆記本上。**光是抄寫書名和目錄，我便立刻明白自己正在讀什麼書**。接著執行一、兩本書，隨著閱讀量的增加，我開始體會到各種好處。

「抄寫」比「讀」更有專注力

這項偶然間開始使用的閱讀方法，和我的生活越走越近。抄下書名和目錄後，我不再需要記住自己讀了什麼書，因為即使不背下來，這些書也早已留下紀錄。

在抄寫完目錄後，整本書的內容便進入腦中。在抄寫目錄時，我也發現自己過去誤讀的地方。在執行目錄閱讀法之前，我總是先讀過目錄，接著進入正文。換句話說，我只是閱讀書中最關鍵的內容，和自己有興趣的部分。那時，我還以為自己確實讀過了目錄。直到把目錄寫在筆記本上，我才發現自己根本沒有好好讀懂目錄，反而是在抄寫的過程中，被我忽略的內容才逐漸映入眼簾。

這樣的差異源於「專注力」。「讀」書的過程中，周遭可能有許多妨礙閱讀的因素，但是**「抄寫」比「讀」書更容易集中精神**。另外，目錄閱讀法和傳統閱讀法最明顯的差異，就在於有無記錄。只要記在筆記本上，閱讀紀錄就能終生反覆查看。

愛因斯坦有一則關於不記電話號碼的著名軼事。

一次，採訪愛因斯坦的記者，忽然詢問他家中的電話號碼。

這時，愛因斯坦掏出手冊開始翻找。

記者一臉驚訝地問：「您該不會沒有記住家裡的電話號碼吧？」

愛因斯坦回答：「我不記家裡電話。只要把它寫下來，很快就可以找到。」

看完這則故事，我不禁這麼想：

用紀錄解放記憶的喜悅！

這正是目錄閱讀法的初衷。

02 人人都有感的閱讀困擾

「一個從未犯錯的人，是因為他不曾嘗試新鮮事物。」

——愛因斯坦，猶太裔美籍物理學家

世界存在因果法則，會出現某種結果，之前必定有其原因。俗語說：「種瓜得瓜，種豆得豆。」種瓜不可能得豆，種豆也不可能得瓜。舉例來說，平常維持均衡飲食習慣和規律運動的人，有較高的機率擁有健康身心理。態度親切、說話正向的人，人際關係和諧的機率較高。每天研究經濟，從不停止進修的人，成功的機率當然會比較高。

同理，運動選手也一樣。提到美國籃球之神麥可・喬丹（Michael Jeffrey Jordan），我們以為他總是百發百中，似乎沒有投籃失敗的情況。不過他本人曾表示，自己投籃失敗的次數多過成功，平時練習投籃數千次以上，其中大多沒有成功進球。然而，藉由不斷地練習，他才能在眾星雲集的美國職籃NBA中，登上籃球之神的地位。也就是說，喬丹因為種下「練習」的因，才收穫「籃球之神」的果。

目錄閱讀法問世的三大主因

目錄閱讀法的誕生，一樣是在某個因緣下結出的果。目錄閱讀法誕生的背景，有三個主要因素：

1. 人的記憶力有限。
2. 居家空間狹小。
3. 買回家卻沒翻開的書越來越多。

人的記憶力有限

人類每個瞬間都在看、在聽、在觸摸，卻很少有人能把接收到的訊息全部記在腦海裡。人的記憶力有限，不可能記住所有事，像是自己出生的瞬間、十年前吃過的食物或五年前旅行過的地方。雖然人類的記憶力有限，不過沒辦法記清所有的一切，也是不幸中的大幸。

閱讀也是一樣。即便是平時熱愛閱讀的人，也難以記住所有書的內容。我至今讀過無數本書，同樣記不住每一本的內容，甚至有些書連書名都記不得，只有看到封面時，才回想起書名。我也幾乎想不起書中的內容，我在軍旅生涯中讀過上百本書，留在腦中的寥寥無幾，即使是閱讀當下深有感觸的內容，後來想再找出來閱讀，也經常遍尋不著。

沒辦法記住一切困擾，深深影響了我的閱讀法。

某天，我在圖書館閱讀時，開始意識到這些問題。對於自己讀過大量的書，卻沒辦法全部記住感到失望。確實，書讀了不少，但是我不知道自己具體讀過幾本書，尤其是在圖書館讀的書，最後得歸還，更是記不住讀過哪些。雖然在圖書館的網頁可以找到自己的借閱紀錄，不過也需要花些時間在連線和搜尋。若是許久之前讀過的書，記憶加倍模糊。就算我將所有時間投入在閱讀上，還是有一定的局限，因此，我開始思考要抄下書名。

居家空間狹小

書一本、兩本地買，不知不覺家中逐漸堆滿了書。如果只是一、兩本書，還不算什麼，一旦超過十本書，就需要空間擺書了。想要整理書得買書櫃，買了書櫃又得找空間擺放。公寓式套房空間大多是六到七坪，雖然只有一個男生住，然而擺放太多雜物，塞進衣服、衣架、筆電、背包和棉被等生活必需品後，空間比想像中還小。如果天天都整理房間的話還好，問題是平日上班，整天不在家，一回到家，也總是累得想快點休息。

要是平常有固定整理的習慣，情況也許會好一些。不過在家中已經亂成一團的情況下，還一本、兩本地堆積書，可以立足的空間便逐漸消失。要忙公司的工作，又得整理家務，壓力與日俱增。

壓力給我的生活帶來很大的影響，連帶影響到購買書籍和整理房間。這讓我思考，**有沒有一種方法，不增加家中書籍也能持續閱讀**。這個想法影響了現在的目錄閱讀法。

一拿到書，我先在筆記本上抄下書名和目錄。抄寫完畢，便打消了「非買這本書不可」的念頭，同時，已經記下書名和目錄，未來有需要時再買也不遲。當然，如果家裡空間足夠，可以打造一座個人圖書館，大概就不會有這種煩惱。不過，就是因為當時的條件，連帶影響到我的閱讀方式。

買回家卻沒翻開的書越來越多

我認為喜歡閱讀、養成讀書習慣是好事。不過，我在閱讀時，領悟到一個事實——

書很可能衝動購買。當然，閱讀各類型的書，並吸收成個人的知識，是非常好的現象，書讀了總比不讀好。但是那些明明想讀才在書店買下的書，回到家後，卻總是想著「有時間再看」，而一直拖延下去。

拖延、累積的書，少說也有數十本吧！或許有些人認為書越多越好，但是書只擺著不讀，到底有什麼用呢？因此，某天我在買書前，決定先記錄書名和目錄在筆記本上。神奇的是，**我只不過寫下書名和目錄，衝動購書的次數竟比之前少了許多**，而且與買書回家讀完整本相比，**讀抄寫下來的書名和目錄，並花些時間思考，反而使我更能理解整本書的內容**。這個經驗正是我至今仍持續進行目錄閱讀法的動機。

比起借書回家閱讀，買書回家的確更有幫助，若那本書是你需要的，當然要買，但是根本不會看的書，就別買回家束之高閣，如果不打算閱讀，只是買回家擺著，有什麼意義呢？

世界上存在著各式各樣的物品和生命，皆有助於人們的生活。

那些，可能是讓我們垂涎三尺的當季水果，可能是讓世界更美好的一門新學問。可能是讓世界更光明、更美好的英雄，也可能是讓人類生活更便利的機器人。

目錄閱讀法則是讓眾人苦惱的閱讀變得更輕鬆、更有趣的閱讀法。

03 降低門檻，養成閱讀習慣

「耗時於閱讀，你將因別人辛苦得來的體驗，輕易吸收並改善自己。」

——蘇格拉底（Socrate），古希臘哲學家

人生在世需要的太多。為了生存，需要水和氧氣。為了促進身體成長和維持功能，需要定時攝取食物，包含碳水化合物、蛋白質和脂肪。到了冬天，需要多穿衣服保持身體暖和，一到夏天，便換上透氣良好的衣物。為了便於行走，人們還需穿上鞋子。

在職場工作，同樣需要各種設備。如果是庶務類工作，需要電腦螢幕和主機，為了提高工作效率，還需要各種辦公室用品。

人與人的互動也有需要的事物，像是對彼此的關心和照顧。在閱讀方面何嘗不是如

此，**每個人都需要符合自己的閱讀法**。

現在讀著這本書的你，想必對閱讀有濃厚的興趣。你可能已經擁有自己獨特的閱讀法，也可能正在尋找新的方法。市面上也充斥著五花八門的閱讀法書籍。

我認為，閱讀法的存在值得肯定，**藉由前人的閱讀經驗和訣竅，能減少我們對閱讀的負擔，少走冤枉路**。如果能運用傳統閱讀法，養成終生閱讀的習慣，當然是最好的，然而這種情況並不常見。

有時我會想，市面上的閱讀法書籍是不是太氾濫了？將閱讀法分成好幾種階段和等級，會不會增加閱讀的阻礙？我甚至還有想過，有好幾種閱讀法難以執行，反而會降低讀者閱讀的興趣吧？

目錄閱讀法受用終生的三大原因

現在，該降低閱讀的負擔和難度，執行任何人都可以上手的目錄閱讀法了。這套閱讀法一點也不困難，而且保證有效，只要掌握方法，終生受用。

在這一章裡，我將說明人們需要目錄閱讀法的三大原因，在第2章和第3章中，將詳細敘述具體的內容。

1. 方法簡單。
2. 會有成就感。
3. 有效。

方法非常簡單

執行目錄閱讀法時，不必擔心或煩惱該如何閱讀，又要從什麼階段開始。

其他閱讀法，無論書是借閱的還是自己購買的，第一步皆從「讀」書開始，但是目錄閱讀法從「抄」書開始，只要開始抄寫書名和目錄，就可以輕鬆啟動目錄閱讀法。

產出的紀錄能帶來成就感

能從頭到尾讀完一本書，想必任何人都會有滿滿的成就感，但是每個人的時間有限，所以只能讀書中的一部分或主要內容。當然，即使只掌握書中關鍵的部分，也會有一定的幫助和收穫，我自己在閱讀時，主要也是讀核心內容。

不過有一點非常遺憾，就是頭腦記不住。過去，我對閱讀法還不熟悉時，一拿到書，肯定會從頭到尾讀完，雖然這樣閱讀並不輕鬆，不過越辛苦，收穫的成就感越大。

然而，進入職場後，我的閱讀不再是讀完整本書，而是盡可能掌握核心和結論。書讀多了，自然會出現這種現象，因為大量閱讀相同類型的書，其中必然會有重複的內容，通常這些內容可以整個段落理解。不過，闔上書本後，有時難免有說不上來的遺憾，不知道自己的閱讀是否正確。

執行目錄閱讀法後，這種遺憾會逐漸消失。目錄閱讀法的步驟相當明確。我知道需要抄寫的量有多少，所以不會感到猶豫和疑惑，只要原封不動地抄下目錄就好。雖然僅進行抄寫目錄的動作，然而，**對目錄了然於胸，就能達到閱讀整本書、掌握全書的效果**，並且在抄寫完目錄後，額外獲得成就感。

閱讀的效果和品質顯著

閱讀時，最好的方法是從頭到尾、一字不漏地讀完，也稱做「精讀」。只是精讀花費的時間不少，如果是有一定程度的讀者，想必能得心應手，但如果是剛開始接觸閱讀，或接觸閱讀沒多久的讀者，肯定會感到吃力。

在忙碌的現代社會中，擠出時間閱讀已經困難重重，不過目錄閱讀法只需要在短時間內，把書名和目錄從頭到尾抄完即可。因為**目錄包含著整本書的核心內容，因此儘管節省閱讀時間，卻仍保有閱讀的品質，達到不錯的效果。**

做筆記很重要，連成功人士也強調

在領悟目錄閱讀法前，我經常在讀完書後，想不起讀了哪些書，但是在執行目錄閱讀法後，每當我要回想自己讀過的書，只要攤開目錄筆記本，讀著抄寫的書名和目錄，就能立刻喚起記憶。這個經驗讓我了解成功人士為何再三強調筆記的重要。

在目錄閱讀法具備今日的雛形前，我先抄寫書名，再摘要和整理書中內容。整理的當下雖然看似寫得很清楚，不過之後再次翻開筆記本，卻無法一目了然，必須從頭仔細思考一遍。

但是只要抄下目錄，即可立刻掌握全書，如果有需要記錄、整理下來的內容，只要用自己看得懂的方式，用一個單字或一句話簡單寫上就好。要是還需要進一步地整理內容，可以寫在空白處。雖然說做筆記是為了整理書中的內容，但是常出現筆記本寫不下的情況，所以我認為徹底理解目錄，才是最重要的關鍵。

我在執行目錄閱讀法的過程中，常感受到「微小的樂趣」。舉例來說，每本書的封面上，偌大的書名常搭配著五彩繽紛的設計，這時，對照書名的字體和顏色抄寫，便能引發與眾不同的新鮮感受，有時甚至會有自己出新書，或是負責設計書封的錯覺呢！

人生在世，每個人都有自己無比珍惜的東西。可能是家人、寵物和朋友，可能是自己平時寶貝的骨董，也可能是名人或明星的親筆簽名。

對我而言，閱讀也是如此，目錄閱讀法已經是不可或缺的閱讀法了。

你在閱讀過程中，也將創造出專屬於自己且不可或缺的閱讀法。既然你已經翻開了這本書，希望就從目錄閱讀法開始嘗試吧！

第 2 章

為什麼閱讀前要先抄目錄？

04 抄寫目錄和用眼睛閱讀的差別

「藉由在紙上記錄你的夢想和目標，你啟動了成為你最想成為的人的過程。」

——馬克・韓森（Mark V. Hansen），美國心理勵志作家

在公司，處理業務時，經常需要寫筆記，可能是在接電話的時候寫，也可能是在開部門會議的時候做紀錄。特別是在接電話時，更少不了筆記。有時候會有需要幫不在位置上的同事接電話的情況，如果當下沒有記錄，可能會忘記是誰打電話。所以我上班時，身邊一定會放著一本筆記本。閱讀也是一樣，閱讀是個好習慣，但讀過卻記不起任何內容相當可惜。

用眼睛閱讀容易有漏網之魚

在執行目錄閱讀法前，我經常閱讀，卻怎麼樣也記不住內容。原因很簡單，因為我主要讀自己需要的內容和最核心的部分。

雖說閱讀最核心的內容是好事一件，不過如果能在閱讀過程中，記住書中的所有內容，豈不是更棒？如今回過頭檢視自己的閱讀，發現當時經常沒能做到。在圖書館借閱的書確實有讀過，但是現在要我回想，大多已經記憶模糊，甚至想不起借過哪些種類的書，多數都是一時衝動而借閱的書，有些根本沒有翻開，原封不動地歸還。

然而，當我執行目錄閱讀法後，情況有了轉變，我不再從頭到尾讀完整本書，而是先抄寫目錄，這時，書中內容也跟著一點一滴地進入腦中。

我也從中發現抄寫目錄和用眼睛閱讀的差別。**用眼睛閱讀時，有些目錄內容容易忽略，透過抄寫，就能明確掌握漏網之魚。**而且在抄寫目錄的過程中，如果對內容感到好奇，可以立刻翻到對應的頁數閱讀。即使翻開對應的頁數，我也不會讀完全部內容，而是一邊抄寫標題，一邊確認有疑問的部分，在抄下的目錄旁，寫上我搜尋到的內容。將來對相關主題和內容感到好奇或需要回想時，攤開筆記本就能重新複習。

在抄寫目錄的過程中，我有幾點感受：

1. 不必死背也能記得住。
2. 可以輕鬆閱讀。
3. 一目了然。

不必死背也能記得住

我認為這是紀錄的最大優點，只要寫在筆記本上，就不必刻意背下來。

成功人士的共通點，在於他們都是筆記狂人。已故三星集團（Samsung Group）創辦人李秉喆會長就是一位著名的筆記狂人，在總裁會議上，他只要看見一點失誤，便立刻根據筆記內容提出尖銳的問題，並陳述自己的看法。據說李秉喆會長的手冊，讓高階主管絲毫不敢鬆懈。

目錄閱讀法也吸收相同優點，抄寫一本書裡最關鍵的目錄，就不必浪費精力記憶在腦中。

可以輕鬆閱讀

這是目錄閱讀法的特色之一。**目錄是作家投入最多心血的部分**，重要程度不亞於書名，並且在目錄的編排上，強調架構嚴整，好比施工的基礎工程，是相當重要的步驟。唯有目錄的架構和編排工整，才會誕生優秀作品，受到讀者們的喜愛。因此，我們只需要抄下目錄就好。抄寫時，可以整理在同一頁裡，也可不受筆記本頁數限制，照原本目錄的頁數抄寫。關於抄寫的方法，本書第4章會詳細說明。

全書核心一目了然

編排目錄有一定的順序，最先是各「章」標題，例如：PART 1、PART 2……，或第1章、第2章……等。接下來是各「節」標題，例如：01、02、03……，或第1節、第2節、第3節……等。作者在寫作時，按照一定的節奏和脈絡創作，繼而產生編排目錄的架構。因此抄寫目錄時，只要按照自己方便閱讀的樣式抄寫，之後攤開筆記本閱讀就能一目了然。整理得越清楚，就能越快理解全書內容。

我在工作時，也會製作專屬於自己的筆記本，其中記錄了跟業務相關的業績、預算金額與實際執行金額等內容，而撰寫公文需要的內容，則列印後貼上。因為筆記本中將所有事項整理得一清二楚，如果有人對我負責的業務感到好奇或疑問，就可以立刻根據筆記回答。若有撰寫公文的需要，也能一邊看著貼在筆記本上的公文，一邊打字。

這些經驗使我見證筆記的力量與效果，不但能減少辦公時間，還能得到他人肯定。

韓國筆記術作家申正哲的《筆記閱讀法》中，有這麼一段話：

我再怎麼忙，也一定要抽出時間閱讀。閱讀的當下，知識彷彿不斷增加，但是沒過幾天，我已經記不得書中的內容了。即使閱讀的書本數增加，留在腦海裡的內容卻沒有多少，再怎麼努力閱讀，也改變不了人生。

正是「筆記閱讀法」，拯救受閱讀毫無效果所困的我。自從我把依賴眼睛的閱讀，改為筆記閱讀後，我的閱讀生活有了一八〇度的轉變。

1. 做筆記的同時一邊讀書，書中內容可以記得更久。
2. 養成記錄在書上，或寫在閱讀筆記本上，一邊「思考」的習慣。
3. 串聯筆記閱讀時的瑣碎紀錄，成為寫作的人。
4. 寫下從書中學到的知識後，親身實踐的情況增加了。

5. 閱讀書籍並親身實踐，讓我的人生逐漸發生改變。

——申正哲，《筆記閱讀法》

現在這一刻，想必有許多人正在閱讀。

但是不知道有多少人可以理解並記住書中的內容。如果你是能完全理解書中內容的人，我想也不需要目錄閱讀法了。

但是，如果你是想再多記住書中句子的讀者，希望你能把這本書看完。雖然只是單純的抄寫目錄，然而這本紀錄筆記本，一定會成為你終生的資產。

05 目錄，是整本書的全貌

「不去做，你不會知道自己有多大能耐。」

——富蘭克林．P．亞當斯（Franklin Pierce Adams），美國專欄作家

每到週末，全國各地的登山客紛紛湧向登山景點。第一次爬的高山，站在山下看不清楚山頂的全貌，只能朝著山頂，猜想自己需要爬多高。不過登頂後往下眺望，將會出現全然不同的景象。山下的事物變得渺小，可以一眼望盡山下的村莊、汽車和居民。當然，也有眼裡看見的事物比在山下看見的更不清楚的可能，無論如何，從山上往下眺望，等於站在綜觀全局的有利位置。目錄閱讀法也是一樣的道理，在閱讀前，先抄寫一遍全書目錄，就有助於理解整本書的內容。

先掌握整體內容的三大原因

有一段時間，我正撰寫與習慣有關的書。在動筆前，我先找出其他相關的書籍，接著執行目錄閱讀法。我挑選十本左右的書，在筆記本上抄寫這些書的書名和目錄。每抄寫完一本書，就加深了我對這本書的理解與對習慣的認識。

我特別受到美國作家詹姆斯．克利爾（James Clear）的《原子習慣》（*Atomic Habits*）啟發。全書目錄共分為六個部分（章）和二十個主題（節）。在將書名和目錄抄寫在筆記本上的同時，我從目錄中第一部分的標題獲得線索，能大致了解作者看重細微習慣的原因。

該書目錄第一部分的標題是：

基本原理：為何細微改變會帶來巨大差異？

從這個標題來看，就足以猜出各個小節標題的內容。如果有哪個小節的標題無法理解，做上記號，等抄寫完目錄後，再優先閱讀這個小節，也可以在感到困惑的當下，立刻翻到對應的頁數，讀完後再回到目錄。哪種做法都沒關係，因為只是短暫閱讀而已，之後還是要抄寫完整個目錄。

在閱讀時，需要掌握整體內容的三大原因：

1. 一本書由多個部分組合而成。
2. 掌握整體內容，閱讀將變得更輕鬆。
3. 提高專注力。

一本書由多個部分組合而成

一本書中，各個部分的主題和內容不盡相同。雖然主題和內容看似不同，卻擁有連貫的價值和彼此無法分割的關係。也就是說，一本書會由許多部分集結而成，因此我們在購書的時候，買的是一整本書，而不是獨立的章節。即便書中主題的重要性有高有低，也沒有哪一個主題該被捨棄。

掌握整體內容，閱讀將變得更輕鬆

掌握整體內容後，要理解書中各個部分的內容就更加容易。這句話看似理所當然，但是如果所有人一開始就懂得這個道理，想必就不需要閱讀法了。目錄閱讀法對於掌握全書的脈絡大有幫助，**只要從頭到尾抄完書名和目錄，就能大致掌握整本書的內容。**

雖然還沒完整讀過一遍，卻能讓人有讀完整本書的感覺，書本不再那麼遙不可及，能和書本變得更加親近。其實，抄完目錄後再閱讀，和不抄寫直接閱讀，兩者對書本的理解程度有明顯的差別。

提高讀書的專注力

當你走在陌生的道路上，總感覺路途遙遠，但是再走一遍走過的路，路途似乎變得更短、更近，尤其在回程的路上，這種感受更加強烈。明明出發時，路途感覺如此遙遠，返回的路上卻變近了。

這個道理也適用於目錄閱讀法。抄寫書名和目錄後再讀，與直接翻開書本閱讀，效果大不相同。寫完一遍目錄後，有些書即使不必讀，也能知道書中內容和哪個主題有關，並且在抄寫目錄的過程中，有時還覺得不必從頭到尾讀完也沒關係。我在讀前文提到的《原子習慣》正是如此，一開始閱讀時不容易專心，有些看似理所當然的論調便一眼帶過。但是執行目錄閱讀法後，閱讀感受完全不同。抄寫完目錄後，感覺已經理解了整本書。若在抄寫目錄的過程中，有不懂的地方，可以立刻翻到對應的頁數閱讀，進入專注力高度發揮的狀態。

在軍隊中，開始訓練或舉辦活動前，一定會預演。當過兵的人大概都可以理解。預演可以當作是一種「測試」，這麼說就容易理解了。

用最簡單的例子來說，在休假外出或出差時，必須先向上司報告，才能動身出發。向上司報告前，也一定得先預演，事先練習自己要報告的整體內容。

目錄閱讀法和預演相當類似。

將目錄抄寫在筆記本上，便可提前閱讀並理解全書內容。在這樣的基礎上，當你重新翻開目錄筆記本閱讀，一定會發現比之前更能理解整本書。

06 讓閱讀跳脫時間和空間的局限

「別說三十分鐘是微不足道的時間，能在這段時間處理微不足道的事，才是聰明的做法。」

——歌德（Johann Wolfgang von Goethe），德國詩人、小說家和劇作家

智慧型手機問世後，我們的生活發生巨大的變化。在五花八門的手機廠牌中，蘋果的 iPhone 深深地影響全世界的人。二〇〇七年，iPhone 首度面世，不過可惜的是，韓國當時並不支援通訊連線，直到二〇〇九年才開通。

當 iPhone 逐漸打開知名度後，全世界的目光逐漸集中在 iPhone 上。隨著 iPhone 的出現，手機也脫離了只用於通話和發送簡訊的有限功能，特別是手機網路的啟用，更為

人們的生活帶來許多改變，只要一支手機，就能和地球另一端的人進行視訊。即使是初次造訪的國家，也只要靠手機就能導航，時間和空間的局限因此日益縮小。目錄閱讀法也如同智慧型手機，跳脫時間和空間的局限。

忙碌的職場人如何保持閱讀習慣？

在韓國，許多上班族有心閱讀，但是多數人生活忙碌，既要忙公司業務，又要照顧子女，一天二十四小時都不夠用。如此忙碌的生活，影響到個人的休閒時間，所以上班族的週末或假日通常不會用來閱讀，而是補眠或整天耍廢，閱讀的時間越來越少。想要在週末或假日閱讀，得下定決心排除萬難。即便如此，平日上班時，又不可能攤開書本閱讀。我在閱讀的過程中，也多次遇到類似的困擾，並且讀完一本書得花上一定的時間，還不希望這段時間受到任何人的打擾。

我目前也是一名上班族，所以比任何人都了解上班族的心情。平日忙於業務，不可能閱讀，在珍貴無比的週末假日，又常有讓人無法專心閱讀的狀況。

對於身處這種困境的上班族，我推薦目錄閱讀法。

上班時，每當工作注意力降低，或想讓腦袋休息的時候，我會上網路書店。網路書店上，可以瀏覽目錄和書籍簡介，一發現平常想讀或有興趣的書，我會立刻拿出目錄筆記本，把目錄從頭到尾抄下來。手邊沒有筆記本時，我也常寫在回收的廢紙或 A 4 紙上。若是不方便使用電腦，也可以用手機邊看目錄邊抄寫。

抄寫完目錄，如果真的想閱讀這本書，再點選訂購。等收到實體書後，再從好奇的地方開始閱讀，因為已經抄寫過一遍目錄，對這本書有更深入的理解，也就能夠更快速地吸收。

此外，由於在公司抄寫目錄，難免會有中斷的情況。一般閱讀時，如果讀到一半被打斷，閱讀的節奏可能會受到影響，但是目錄閱讀法一眼就能清楚看出目前抄到哪裡，即使臨時去忙緊急工作，回過頭再接續抄寫，也不會有閱讀被迫中斷的感覺。

在職場執行的目錄閱讀法，有三個優點：

1. 方便執行。
2. 在職場也能達到閱讀的效果。
3. 任何人都能輕易活用。

方便執行

只要能連上網路，就能在職場執行目錄閱讀法，相當便利。進入網路書店後，點選自己有興趣或想閱讀的書，接著在筆記本或紙上抄下目錄即可。如果沒有電腦，用智慧型手機也可以辦到。

在職場也能達到閱讀的效果

事實上，在公司裡或公司外攤開書本閱讀多少有難度。運用目錄閱讀法閱讀，雖然沒有直接攤開書本，卻是**將整本書最關鍵的目錄寫在紙上，有助於掌握全書大致內容。**

任何人都能輕易活用

上班族中，有熱愛閱讀、需要閱讀的人，而討厭閱讀的人也不少。我想，或許討厭書本的人比喜愛書本的人還多吧！討厭書的人，多數對閱讀備感壓力，因此我想推薦目錄閱讀法，先抄寫目錄，再閱讀正文。抄寫完目錄，如果不想讀這本書，可以再換下一本書。**目錄閱讀法更強調抄寫的概念，而不是閱讀，不需要理解能力，所以任何人都辦得到。**

週末或假日，我通常會去圖書館。圖書館裡有許多藏書，有些書不知不覺就讀完了，有些書則是一邊看目錄，一邊挑需要或關鍵的部分來讀。

當然，喜歡閱讀是好事一件，但是問題在於，讀完書、走出圖書館的瞬間，讀過的內容早已忘得一乾二淨。書確實是讀了，但是要總結這本書或要向別人說明，卻一點印象也沒有，有時候甚至連書名也想不起。

目錄閱讀法也能拯救這種情況。只要拿到想讀的書，第一步先把目錄寫在筆記本上，再開始閱讀，**光是抄寫的動作，就能獲得心理上的安定和成就感**。過程中，必然會出現好奇的章節，這時，翻開對應的頁數閱讀，就能理解。

抄寫目錄也可以找出書中說明執行方法的部分。假設有某個章節指出「閱讀有三項要件」，那麼這個部分的核心內容肯定是這三項要件。不妨記住這個的關鍵字，一邊翻到對應的頁數閱讀，也別忘了在目錄筆記本上寫下三項要件所指的內容。如此一來，我們就能隨時拿出筆記本複習。

汽車產業的發展，擴展人類的生活範圍，人們也體會到時間大幅縮短的好處。有任何想去的地方，都能開車抵達。如果搭乘大眾交通工具，肯定得花費不少時間，不過有了汽車，就能享受節省時間的效果。

節省時間的效果也適用於目錄閱讀法。想要在自己方便的時間和地點閱讀，不妨開始抄寫目錄吧！

07 邊讀邊抄目錄，效果加倍

「有九五％的人不曾寫下自己的人生目標，然而，寫下人生目標的五％當中，有九五％的人達成了自己的目標。」

——約翰．麥斯威爾（John C. Maxwell），美國領導學專家、演說家和作家

在日常生活中，當人們腦袋打結，或需要整理腦中想法時，總會寫下自己的待辦事項。在職場上，也可能遇到待辦事項暴增的情況。這時，就得按照工作的重要和緊急的程度，依序將待辦事項寫在紙上。

如果你是學生，當考試即將到來時，會寫下考試日期，開始為考試預做準備。這種記錄的行為，對閱讀也很有幫助。

閱讀量龐大的高階讀者們有一個共通點——在閱讀時準備一枝筆。他們會一邊閱讀，一邊在重要、有共鳴的句子底下畫線，也會將自己的想法寫在書上的空白處，以釐清自己的情緒和思緒。「記錄」在執行目錄閱讀法時也很有用。

以前我也會邊做筆記邊閱讀，不過我是以章節為單位來理解，所以在掌握整本書的內容上稍嫌吃力。而且閱讀的過程中，還會反覆來回確認之前讀過的部分，翻到下一章或翻回目錄，找到對應的頁數重新確認。我從來沒意識到這樣閱讀的不便，以為在閱讀的過程中，這是理所當然的情況。但是在執行目錄閱讀法後，我意識到以往閱讀的不便，從此變得更有效率。

讓手寫和紀錄成為第二個腦

在筆記本上抄下目錄時，雖然還沒有正式進入全書，不過整本書的輪廓已經大致浮現在腦中了。這時，抄寫完目錄開始閱讀書本的過程，就像一點一點填補腦中的空白。

在抄寫目錄的過程中，我也發現，**有些標題就算不閱讀正文，單憑目錄的內容也能完全理解**。

在韓國作家韓根泰《解析高手的閱讀法》一書的目錄中，有個標題：

閱讀目的明確，才能帶來改變。

如果我在進行目錄閱讀法時看到這類標題，會選擇直接跳過。因為正文一定是在談閱讀要有特定目的。當然，正文中即使跟標題有關，其中列舉的內容和相關案例，可能還是會有不錯的資訊。但是正文一定緊扣「閱讀目的的重要性」在做說明。在進行目錄閱讀法的同時，這些內容自然而然地輸入腦中。

透過抄寫目錄，我發現目錄內容已直接整理在腦中。只要在腦中整理好目錄內容，就能帶來許多好處：

1. 容易回想自己讀過的書。
2. 能用一句話總結書本。
3. 能輕易向他人說明書的內容。

不怕忘記自己讀過的書

在執行目錄閱讀法之前，我經常忘記書中的內容，有時甚至連書名和作者是誰都想不起。但是使用目錄閱讀法後，有了目錄筆記本，如果想不起書名和作者，只要翻閱筆記本就可以了。

能用一句話為書做總結

通常讀完書後我們會闔上書本。讀完書後做統整，並沒有像說的那麼容易，因為光是讀完一本書，就要耗費不少時間和精力，如果要整理書中內容，還得重新翻開書本。但是運用目錄閱讀法，抄寫好目錄後，再瀏覽一次目錄，就能整理和總結書中內容。

能輕易向他人說明書的內容

整理好內容後，便能輕鬆根據整理的內容向他人說明。如果口頭說明有些困難，也可以配合目錄筆記本來說明。因為目錄是該書作者想要表達的核心，我們透過做目錄筆記，一邊寫，一邊閱讀並思考核心內容。只要有目錄筆記本，就讓人感到安心、踏實。

如果我沒有做筆記，通常只要經過一週，就會忘記這本書該如何說明，甚至只過一天，就得重新閱讀。

世界上有各式各樣的習慣。

其中，「整理」應該是有益於人類的好習慣，整理得井然有序的空間，能讓人心情愉悅。

走一趟量販店就能懂得整理的好處。

量販店裡總是人聲鼎沸，也塞滿五花八門的物品，即使如此，人們依然會再次光顧量販店，正是因為有人每天打掃、整理量販店。

反之，亂七八糟的地方人煙稀少。看看我們每天生活的家就知道，若空間雜亂無章，會讓人感到心煩、備感壓力。

閱讀也是一樣。

當我們梳理想法，腦中的思緒也得以釐清，情緒和心情必定會好轉。

不僅如此，閱讀還能提升知識和智慧，讓我們迎向成功的人生。

08 沒時間閱讀？其實每天只要十分鐘

成功人士有一個共通點，就是「設定目標」。成功的企業家，有將目標寫在紙上隨時確認的習慣。像是明年銷售額達到兩千萬、銷售量達到兩倍等。設定目標也適用於個人，比如一個月讀完十本書、一年讀完五十本書、一天運動一小時、一個月運動三次等。他們每天努力不懈，只為了達成自己設定的目標。當目標達成，從中得到成就感，再接著設定下一階段的目標，並付諸實行。在這個過程中，成功人士創造出正向的循環。閱讀也是如此，一天就花十分鐘，用十分鐘執行目錄閱讀法，從中獲得成就感吧！

善用零碎時間的三大時段

許多上班族渴望自我成長，卻總是說自己沒有時間，我自己也是上班族，能體會這種心情。即便如此，只要仔細分析生活軌跡，還是可以安排出時間的。

能善用的時段有三個：

1. 上、下班時間。
2. 用餐時間。
3. 週末。

靈活分配上班前和下班後的時間

通常，上、下班會花費三十分鐘到一小時的時間。其中，我認為上班前的時間，是最適合進修的時間。雖然早晨是所有人最忙碌、最辛苦的時段，不過只要稍微努力，任何人都能擠出專屬於自己的時間。

比如說，只要比平常提早一個小時起床，可以運用的時間就變多了。假設比平常早一個小時起床，那麼可以提早三十分鐘出門。在這段時間，不妨利用短短十分鐘進行目錄閱讀。進公司後也是。提早三十分鐘出門，等於避開了尖峰時段，就有了提早三十分鐘進公司的空閒時間。既然提早進公司，當然要攤開書本閱讀。因為比其他同事早到公司，公司裡的氣氛和環境自然較為安靜，與公司裡都是人的感受完全不同。就在這時利用十分鐘進行目錄閱讀吧！你一定會得到和傳統閱讀法截然不同的成就感。

下班的情況稍有不同。如果情況允許，下班前十分鐘完成目錄閱讀再下班，當然是最好的。不過多數情況不允許這麼做。所以下班後不妨待在辦公室，或是離開公司找個安靜的地方，簡短進行目錄閱讀後再回家，是最好不過的。

只要十分鐘就夠。如果目錄篇幅比較短，十分鐘絕對綽綽有餘。若是目錄內容較長，可在一天內分割多次進行。

分割多個十分鐘，善用用餐時間

基本上一天會吃三餐，用餐時間一般是一小時左右。假設至少要花二十分鐘到三十分鐘吃飯，那麼吃完飯後，最少還有三十分鐘的時間可以運用，這段時間就能進行三次十分鐘的目錄閱讀。三十分鐘絕對可以用目錄閱讀法讀完一本書。

目錄閱讀法是透過抄寫在筆記本的方式讀書，所以在寫完最後一個章節的那一瞬間，能獲得比一般閱讀法更大的成就感。

週末不虛度，挑戰完整的目錄閱讀法

週末是最適合閱讀的時間。在週末，只要沒有特別安排行程，一定能專心處理任何事。

因為週末的時間較充足，我特別推薦挑戰**完整的目錄閱讀法，也就是抄寫完目錄**

後，再根據目錄筆記本，從頭到尾閱讀整本書。即使有不必整本讀完，也能理解全書內容的書，還是不略過把目錄抄寫在筆記本上的動作。

一般在翻開書閱讀時，很容易有讀到一半中斷的情況，像是有人中途打擾、閱讀到一半注意力下降，或閱讀時狀態不佳等，這些因素都會中斷閱讀。

但是執行目錄閱讀法後，**不僅花費的時間變少，也更容易集中注意力，並且在抄寫目錄的過程中，對書的理解更深入，整本書的架構也烙印在腦中。**達到這個程度，以後再從頭到尾讀完整本書也沒問題。

十分鐘也能做好筆記的三步驟

一開始執行目錄閱讀法時，我會試著把全部目錄抄在一張A4紙上，希望達到一目了然的效果。為了在一張紙內寫進書中的目錄，我嘗試過許多不同方法。每本書類型不同，目錄的長短也不同。有些書目錄太長，很難全部寫進一張紙內。這種情況，我會先計算目錄的章節數和筆記本可以寫的行數，再開始抄寫。

在十分鐘內執行目錄閱讀的三步驟：

1. 計算書中目錄的章節數。
2. 計算筆記本上的行數，思考要寫在一頁內或更多頁。
3. 用自己喜歡的方式抄寫在筆記本中。

步驟一：計算書中目錄的章節數

書本目錄的類型超乎想像的多。有些書的目錄整理得一清二楚，也有整理得不清楚的目錄。所以抄寫前事先計算好目錄的章節數，衡量能否抄寫在一張紙上。

步驟二：計算筆記本行數，思考抄寫的篇幅

確認過目錄的章節數後，可思考目錄呈現的方式，與如何抄在筆記本上。如果能全部寫進一張紙內，倒沒有什麼問題。但如果有行數不夠寫的情況，只能透過縮小文字來因應。如果沒必要將目錄寫在同一頁，換頁記錄也無妨。在十分鐘內完成抄寫，才是最重要的。

步驟三：用自己喜歡的方式抄寫

接著進入實際抄寫目錄的階段。抄寫時，有由上至下書寫和由左至右書寫兩種方式，只要用自己覺得方便的方式抄寫即可，在執行過程中，自然也會知道最適合自己的方法是什麼。

我一開始採用由左至右的書寫方式抄寫，一段時間後，遇到空間使用效率的問題，

因此我改為從最左端開始書寫，採由上至下的方式。

對於十分鐘，每個人的看法各不相同。有人認為不過只有十分鐘而已，也有人能從十分鐘裡發現重要的價值。

你可以想想，自己在十分鐘內能做什麼事、創造什麼價值？不妨善用十分鐘，抄寫一本書的目錄吧！

09 沒抄目錄直接讀會錯過重要內容

「過程就是收穫。」

——史帝夫．賈伯斯，蘋果創辦人

人們常說，人生沒有標準答案，代表每種人生都有獨特處。不過許多人依然想找到人生的答案，這是因為他們對人生感到徬徨。如果人生的方向明確，在人生的路途上就沒有必要躊躇不前。

而人們閱讀的原因，正是為了尋求人生的建議、尋找人生的目標。書本雖然無法解決所有的困惑，不過能給予一定的幫助。面對人生的困惑，目錄閱讀法或許可以提供解決之道。

執行目錄閱讀法之後，將會接觸到各種類型的目錄，也能**從中發現簡單明瞭的章節標題**。舉例來說，在韓國暢銷書作家二志成《以閱讀引領世界》的第4章「以人文經典經營人生」裡，有個小節：

通往《論語》的十六條路

這類標題明確指出通往《論語》的十六條道路。在抄寫這種標題時，總想立刻閱讀正文，這時不妨立刻翻到該處閱讀，也可將核心內容抄在目錄筆記本的空白處。具體內容如下：

1.《論語》並未由孔子本人撰寫，而是孔子死後，弟子將孔子的言行彙編而成的書籍。孔子親自編纂的書有六本，也就是被稱為六經的《詩經》、《書經》、《易經》、《禮記》、《樂經》、《春秋》。先閱讀這六部經典（理學開創者朱熹主張，儒學之道的傳承脈絡為「堯、舜、禹、湯、文王、武王、周公、孔子」。除了孔子之外的其他七位君子，在《書經》留有相關記載，西漢史學家司馬遷的《史記．本紀》也有記載，建議連同《史記．本紀》一起閱讀）。

2. 閱讀《論語》。
3. 曾子受業於孔子，可閱讀飽含孔子教誨的著作《大學》。
4. 子思是曾子的弟子，也是孔子的孫子。閱讀其著作《中庸》。
5. 孟子是子思的弟子，也是儒家中僅次於孔子的思想家，閱讀其著作《孟子》。《論語》、《孟子》、《大學》、《中庸》合稱四書。
6. 荀子被理學家批判為儒家的異端，卻也被譽為比孟子更傑出的儒家思想家，又有東方亞里斯多德（Aristotle）的稱號。閱讀其著作《荀子》。著名的法家思想家韓非子，以及為秦始皇獻計的秦朝政治家李斯，都是荀子的弟子。
7. 西漢思想家董仲舒，被批評為將儒學曲解成上位者的統治理論，不過在學習孔子思想時，絕不能錯過董仲舒。閱讀其著作《春秋繁露》。

8. 東漢儒家思想家王充，不僅在政治理念上與董仲舒南轅北轍，甚至曾批判孟子與孔子。閱讀其著作《論衡》。

9. 理學開創者周敦頤，為北宋五子之一，閱讀其著作《太極圖說》與《通書》。閱讀同為北宋五子邵雍的《皇極經世書》與《觀物外篇》，程顥、程頤兄弟的《明道先生文集》與收錄在《二程遺書》卷一至卷十的《二程語錄》，以及與朱熹彙編二程文章而成的《河南程氏文集》、《二程遺書》。張載的《正蒙》與《橫渠易說》、《西銘》。朱熹的《近思錄》、《朱子文集》、《朱子語錄》、《論語集注》、《易學啟蒙》、《太極解義》等書。

10. 明朝思想家王守仁開創的陽明學，與朱熹開創的理學蔚為雙璧。閱讀其著作《傳習錄》。

11. 明朝思想家李贄（號卓吾），是儒家史上最具爭議的思想家，被稱為儒學的反抗者。閱讀其著作《焚書》。

12. 清朝思想家戴震批判理學的「理」，建構「氣」的哲學。閱讀其著作《孟子字義疏證》與《原善》。

13. 朝鮮王朝理學家徐敬德，是韓國理學發展史上，第一位有系統地探索「氣學」的學者，也是唯一一位個人著作被收錄中國《四庫全書》的韓國學者。閱讀其著作《原理氣》與《理氣說》。

14. 朝鮮中期儒家思想家李滉（號退溪），是受到中國、日本、美國、歐洲等各地學者積極研究的偉大學者。閱讀其著作《聖學十圖》、《自省錄》、《言行錄》、《傳習錄論辯》，以及現代人彙集《聖學十圖》、《自省錄》、《論四端七情書》三書而成的《退溪選集》，也可以參考李滉與朝鮮中期理學家奇大升（號高峰）往來的書信集。

15. 繼李滉之後，朝鮮大儒李珥（號栗谷）也受到全世界學者的關注與研究。閱讀其著作《擊蒙要訣》、《東湖問答》和《聖學輯要》等書。

16. 閱讀朝鮮時代儒學家丁若鏞（號茶山）的著作《論語古今注》、《孟子要義》、《中庸自箴》、《大學公議》。

這些內容是我在閱讀時，認為對讀者應該有幫助的部分，所以全文介紹，還請見諒。順道一提，三星集團創辦人李秉喆會長，與現代集團（Hyundai Group）創辦人鄭周永會長的共通點，就是兩者皆從古文經典的智慧中，提取企業經營的法則。

這一節的目錄（通往《論語》的十六條路），明確提示了數字，因此在抄寫的過程中，我對書中的內容不知不覺地產生好奇。在閱讀正文時，每當自己需要的部分出現，我總會下意識提筆抄在筆記本上。前述內容只是書中的部分內文而已。

閱讀正文的方法不同，效果也會截然不同。抄寫完目錄後，在閱讀過程中理解正文，與直接閱讀和理解正文，有著相當大的差別。**沒有抄寫目錄就直接閱讀正文，很可能不小心錯過重要的內容。**此外，在閱讀時，如果有其他重要的事情，閱讀的節奏也會被打斷，但是**目錄閱讀法已經明確將目錄謄寫在筆記本上，可以降低傳統閱讀會遇到的困難。**

我們花費時間和精力閱讀書本。透過閱讀追求知識和智慧，是好的現象。然而，如此努力獲得的知識，如果轉瞬間消失不見，那花費的時間和精力將化為泡影。

反之，如果先閱讀目錄，並抄寫在筆記本上，再來理解抄寫的內容、記下書本正文的核心，即使這些內容只是書中的一部分，也能帶給我們正確且明確的意義。

10 先掌握書中核心的內容

「現象是複雜的，規則是簡單的。找出什麼是我們該捨棄的吧！要掌握關鍵，就要懂得捨棄。所謂聚焦關鍵，其實就是善於捨棄。」

——理查・費曼（Richard Feynman），美國理論物理學家、教育家

人生在世，總會遭遇各式各樣的狀況。舉例來說，上班族在公司處理業務時，可能出現各種問題，不是電腦螢幕忽然關閉，就是文件印到一半影印機故障。學生可能在解答數學題的過程中遇到難題、想破腦袋。面對這類難題，專家總能快速且正確地排除問題，喜歡或擅長數學的學生，也能輕鬆快速地解開題目。

如果不是專家，可能得花更多時間解決業務上的問題。對數學題目一竅不通的學

生，也得付出大量時間解題。之所以會在各自的工作上出現差異，關鍵就在於看待問題的態度。發生問題時，找出問題所在或指出問題關鍵的能力差距，造成了彼此的差異。這種情況也適用於閱讀。**在閱讀時，能掌握書中核心的人和無法做到的人，在閱讀的品質上必然存在差異。**

為什麼沒辦法讀完一本書？

一本書的正文包含大量的資訊，也正是我們在閱讀時追求的內容。在這些資訊中，有真正核心的內容，也有補充說明核心內容的部分。或許補充說明對我們有所幫助，但是即使讀完整本書，也很難內化成自己的知識。所以一般人在閱讀時，通常還沒讀到書本的核心內容，就已經舉手投降。尤其正文內容含有非常大量的資訊，如果是剛下定決心閱讀的人，或注意力不集中時，這些資訊反倒會成為閱讀的阻礙。書只讀一半就中途宣告放棄的案例不少。

當然，能從頭到尾讀完一本書很好，但是有些人光是讀前半部，就已經力不從心，尤其書籍的難度越高、頁數越多，越難讀完。如果沒有非閱讀不可的強烈意志和過人的堅持，讀到一半就力不從心的情況屢見不鮮。我也親身經歷過，因為想快點閱讀，匆匆忙忙翻開書本讀最重要的部分，結果沒讀幾頁便放棄。

我在執行目錄閱讀法前，閱讀時通常會讀完書中的正文。開始上班後，因為時間有限，只能盡可能針對書中最核心的內容閱讀。我會盡量找出關鍵內容，挑出最重要的部分來讀。

當時還以為這個方法很有幫助，至少比不閱讀要好得多。直到我遇見目錄閱讀法後，想法有了轉變。雖然閱讀書中最核心的內容，的確讓我有「正在閱讀」的感受，給我不少安慰。然而，閱讀效果曇花一現，如果閱讀完能在腦中記住讀過的內容，是最好的情況，但是我卻連核心內容也沒有印象。

有助縮短閱讀時間

以販賣玩具聞名全球的企業樂高集團（The Lego Group），只要像拼圖般，組合磚塊形狀的小積木，就能拼出令人驚豔的成品。積木的種類也相當多樣，有住宅、人、汽車、警察局和電影人物等，應有盡有。由於可以組合的積木種類相當多，每一種積木的難易度也不同。有和人類手指差不多大小的積木，也有和人類身高相近的巨型積木。組合積木時，說明書是不可或缺的，能幫助我們組合積木，縮短完成成品的時間。

配合目錄閱讀法使用的目錄筆記本，也發揮與樂高說明書相同的功能。閱讀時，**目錄筆記本能幫助我們理解書中的核心內容，縮短閱讀時間**。假設你已經把目錄抄寫在筆記本上，書桌上應該會擺著目錄筆記本和原書。現在，目錄筆記本上已經寫上書本的目錄，先讀章節，接著翻開書中對應的頁數，一邊閱讀內文，一邊回想目錄的標題，尋找與目錄標題相關的內容。

以下以美國作家拿破崙．希爾（Napoleon Hill）的《思考致富》（*Think and Grow*

Rich）韓文譯本目錄中的章節標題舉例說明，幫助讀者理解。

成功在絕望深處等待。*

僅從章節標題來看，你應該已經知道這章要談什麼內容了。即使只看目錄標題，也可以推測內容在說明：身處絕望的環境中，仍會遇到機會，最終獲得成功。帶著這個想法進入正文吧！閱讀正文時，在腦中思考「絕望深處」和「成功」等關鍵字，或直接記住標題「成功在絕望深處等待」，**因為你牢記著標題，在閱讀時就會一邊尋找核心內容。就我的經驗來說，這樣閱讀，會自動跳過不需要的內容。**

為了還不太清楚的讀者，以下更具體地說明。先簡述這章的正文，會比較容易了解做法。

* 原文為「Three Feet From Gold」，韓文譯本為「成功在絕望深處等待」。中文譯本有久石文化二〇一三年版與野人二〇一七年版。兩版目錄各不相同，前者譯為「離金三尺」，後者譯為「輕言放棄的習慣，讓人僅差一步就錯失了大筆財富」。

這段內容出現兩個角色，分別是淘金熱時代的德比先生（R. U. Darby）和他的叔叔。兩人為了淘金四處尋找礦脈，甚至舉債購買需要的機器。起初開挖的時候，雖然發現一些金礦，但是越往下挖，金礦越稀少，他們只能選擇放棄。然而，在他們放棄的地點，其實只要再往下挖一公尺，就能找到礦脈。

這段內容的核心，在於他們選擇放棄，以及假設他們沒有放棄，就能挖出價值數百萬美金的金礦。透過這段文字，作者要告訴讀者：不要因為一時的失敗就放棄。

如果沒有先記錄章節標題在目錄筆記本上，而是直接閱讀正文，就必須讀完整整三頁。然而，書中所要闡述的核心內容不超過半頁。

讓閱讀成為一種熟悉感

人們面對第一次嘗試的事，或平時沒有做過的事，總會感到猶豫。擔憂的情緒自然而然地浮現，令人們感到些許害怕。平時習以為常的用餐、駕駛汽車或收看電視，這些日常生活中的行為，卻不會造成人們的恐懼與擔憂，是因為這些是每天反覆進行的動作，再熟悉不過，就不會感受到任何擔憂或害怕。

這種「熟悉」的感覺，也適用於目錄閱讀法。書名和目錄抄寫久了，自然會感受到其中獨特的魅力。你會發現，**先抄寫目錄再進入正文，會讓閱讀變得更流暢**。

在挑戰陌生的事物前，我們難免會感到害怕，不過實際執行後，有時會覺得：「原來沒什麼了不起。」從此以後，挑戰不再遙不可及。目錄閱讀法也是如此，將目錄抄寫在筆記本之後，書本開始變得和藹可親，原本討厭閱讀的心也得到安撫，願意再次翻開書本。

如果你經常對閱讀感到害怕和恐懼，先抄寫目錄在筆記本上，讓書本變得容易親近吧！相信這麼做，你對閱讀的態度一定會變得更輕鬆、更有自信。

11 準備筆記本，讓記錄帶來無限價值

「生命的奇蹟始於一本小小的筆記本。」
——亨莉雅坦・安・克勞瑟（Henriette Anne Klauser），
《一寫就成真！》（*Write It Down, Make It Happen*）作者

孔子的《論語》是一部人文經典，也是最多人閱讀的人文經典，可見其受歡迎的程度。已故三星創辦人李秉喆會長，生前曾大力推薦這本書。

如此經典的《論語》，卻有令人意外的事實。其實，《論語》不是孔子生前留下的著作，而是孔子死後，由弟子記錄其言行所編纂而成的。現在想來，真是相當偉大的貢獻。如果當時他的弟子沒有留下紀錄，就不會有今天的《論語》，人們也無法透過《論

語》學習看待世間的道理。因此記錄非常重要。目錄閱讀法中，也看得到記錄的重要。

資料數位化的風險

科學技術與IT產業的發展，帶來電腦的劃時代改變。電腦可以儲存的容量不斷增加，功能也越來越好。優異的功能，幫助人們更快、更有效率地處理業務。由於電腦的發展，人們的生活已進入數位化時代。

和桌上型電腦擁有相同功能的筆記型電腦，提升了業務執行的機動性。走出辦公室，在咖啡廳或出差路上辦公的時代已來臨。

不過正如錢幣的一體兩面，用電腦辦公雖然有好處，不過也伴隨著副作用。舉例來說，我們開機原本是為了工作，卻因為玩遊戲或瀏覽網頁而白白消耗時間，也有電腦中毒的風險，使儲存的檔案瞬間消失。若電腦防護系統不佳，還可能導致重要資訊外流。

此外，抄寫和整理在筆記本中的機會大幅減少，動手寫字辦公的機會當然也就減少了。

我習慣在辦公時準備一本「業務筆記」，用來抄寫和業務相關的預算、數字和各種數據。抄寫在筆記本上有個好處，**當其他人詢問業務相關數據的時候，可以立刻根據筆記本回應，而且把資料化為文字，還可以長時間保存。**雖然將資料檔案存在電腦裡看似方便，實務上反而變得更複雜，需要開機、找出資料夾，再一個一個打開檔案確認。

目錄筆記本的四大價值

對於看重筆記和記錄的人而言，筆記本大概是日常生活中最重要的物品。筆記本的優點在於，只要記錄下來就能長時間保存和查閱，這正是執行目錄閱讀法時，「目錄筆記本」所提供的價值之一。

執行目錄閱讀法時，有以下四點價值：

1. 讀過的書目一目了然。
2. 閱讀時大有幫助。
3. 可以保留紀錄。
4. 目錄筆記本成為我獨有的珍貴資料。

翻開筆記本，讀過的書一目了然

執行目錄閱讀法一段時間後，你會發現，許多書的目錄不斷寫進目錄筆記本中，累積書量越來越多。在抄寫時，要先將書名寫進筆記本裡。如果只是單純的閱讀，若日後需要回想自己讀過什麼書，只能試著找各種蛛絲馬跡。不過，有了目錄筆記本，可以透過筆記本中記錄的書名，知道自己讀過哪些書。如果進一步為目錄筆記本製作目錄，讀過的書更能一目了然。

搭配目錄筆記，閱讀時大有幫助

閱讀時，目錄筆記本能發揮類似試題答案本的功能。目錄包含整本書所要傳達的內容，抄下目錄後再閱讀，因為已理解核心內容，所以即便只有稍微掌握相關的補充內容也沒問題，還是能以重要的內容為基礎理解整本書。如果閱讀時沒有目錄筆記本上的目錄，就可能在核心內容以外的部分耗費不少精力，導致注意力降低。

可以保留紀錄

電腦為人類生活帶來便利，然而，要是儲存硬碟故障，或存在電腦內的檔案毀損，電腦就發揮不了任何作用，這就是為什麼我一再強調記錄的重要。**只要手上握有紀錄，就能完全擺脫腦袋記不住的不安感。**每次閱讀時，都抄寫書名和完整的目錄在筆記本，這本筆記本便等於一本書。透過這本筆記本，我們得以永遠記得只讀過一遍的書。

個人獨有的珍貴資料

會抄寫在目錄筆記本上的內容，應該都是自己感興趣或有需要的內容，重要程度不言而喻。這些資料是我們真正需要的，而不是為了誰抄寫。個人的喜好和興趣都融入在這本筆記本中，對筆記本的情感自然與眾不同。儘管目錄閱讀法的執行方式大同小異，不過抄寫的內容截然不同。**世界上的每一本書，都可以成為個人獨有的資料。**

親手記錄的內容具有無可取代的價值

每個人在自己的人生中，都有無比珍貴的物品。可能是生日時收到的手錶，可能是親自發明的事物，也可能是小時候和朋友拍的一張照片，或用辛苦賺來的錢購買的一雙皮鞋。

無論寶物是什麼，都有一個共通點。那就是「特殊」。

生日時收到的手錶，是送禮的人特別挑選的。親自發明的事物，是憑藉自己的力量特別創造的。小時候和朋友一起拍的照片，留住了只有那段歲月才能體會的特別回憶。用辛苦賺來的錢購買皮鞋，是付出努力獲得的成果，具有特殊的意義。

事過境遷，這些「特殊」逐漸昇華為我們獨有的珍貴價值。

目錄閱讀法也是如此。執行目錄閱讀法所使用的筆記本，充滿了親手記錄的內容，具有無可取代的特殊價值。

相信事過境遷，目錄筆記本的特殊，也將會昇華為自己獨有的無價之寶。

第3章

用「抄寫」的閱讀有什麼優勢？

12 門檻低、立刻能上手的閱讀技巧

「道在爾而求諸遠，事在易而求之難。」

——孟子

想要活得健康，需要多種因素的配合，像是健康的飲食習慣、規律運動和充足睡眠等。其中，運動是可以預防疾病、提升免疫力的重要因素。

運動種類眾多，有田徑、棒球、足球、籃球和溜冰等項目。規律的運動能維持健康，也能從中獲得快樂。但是多數運動項目是一般人不容易進行的，如果不是從小接受訓練，或是運動神經發達，一般人幾乎難以有傑出的表現。再加上平常沒有太多運動時間，而且尋找場地和準備運動需要的裝備，也是一大工程。不過，有一項運動較容易親近，我們也已經在日常生活中進行了。

正是「健走運動」。古希臘醫師希波克拉底（Hippocrates）也稱讚健走是最佳運動，甚至以「最棒的藥」形容。

健走可以說是門檻相當低的運動，最大的優點是容易進行，不必接受特殊訓練，任何人都能輕鬆開始。所以最近也出現不少和健走相關的延伸商品，像是銀行推出健走帳戶，保險公司推出健走保單，對於喜歡健走的人來說，既可以運動，又能獲得實質上的優惠。

目錄閱讀法的三大要素

目錄閱讀法也有門檻低的優點，一點都不難，只要試過一次，任何人都能立刻上手。

目錄閱讀法有三大基本原理：

1. 書名。
2. 目錄內容。
3. 個人想法。

第一步從抄寫書名開始

目錄閱讀法從抄寫書名開始。每本書的書名都不相同，有些書名簡單明瞭，也有讓人摸不著頭緒的書名。重要的不是讀過「書名」就好，而是要在目錄筆記本中抄下書名。如果手邊已經借到書或買到書，先把書名寫在目錄筆記本上吧！就算不打算讀完整本書，只要手中有書，就先抄下書名。

進入抄寫目錄內容的階段

目錄和書名一樣，都要抄寫在筆記本上。抄寫目錄時，不必花腦筋，也不必猶豫，直接原封不動地照抄書上的目錄就好。如果沒有運用目錄閱讀法，在閱讀之前，得先思考如何閱讀，就像設計一套公式一樣。閱讀法自然重要且有必要，但是在實際進入書本前，人們早已因為閱讀法而難以親近閱讀，內心還感到抗拒，我認為這是不好的現象。

寫下自己對這本書的想法

抄寫完目錄後，簡短寫下個人想法吧！不妨選出書裡的其中一個核心內容，以一句話記錄。要注意，句子千萬不能太長，簡單明瞭的一句話就足夠。當然，也可以先讀完整本書後，再寫下個人想法。如果時間不多，抄寫完目錄後，立刻寫下簡短的個人想法也無妨。重要的是抄寫目錄的行為，因為在這個過程中，必定有所收穫。

自然而然想讀正文

世界上有各式各樣的閱讀法，就算讀同一本書，閱讀的方式也千差萬別。明明閱讀的方法這麼多，有時看到不閱讀的人，心裡不免感到困惑。

我在閱讀時，也經歷過倦怠期。透過書本，我得以鼓起勇氣，並獲得繼續生活下去的力量，然而，不知從何時開始，有時我會對閱讀感到厭煩，也曾經翻開書沒讀幾個字便闔上書本。那時，我遇見目錄閱讀法，開始執行後，即使有其他更好的閱讀法，也完全吸引不了我。因為我知道，想要熟悉一個閱讀法，需經過付出精力學習閱讀法的過程。

但**目錄閱讀法相當簡單，就從抄寫目錄開始**。抄寫過程中，若有疑惑的地方，只要翻到對應的頁數閱讀就好，即使等抄完目錄再閱讀正文也沒關係。如果不想讀正文，可以等到想讀的時候，再重新翻開書本閱讀。

目錄閱讀法的特色，就是在抄寫目錄的過程中，自然而然會想閱讀正文，也會注意

到自己感到好奇的章節。當目錄映入眼簾，對某章節感到好奇的瞬間，就會想翻開書閱讀對應的部分。希望各位不要對閱讀感到壓力，能輕鬆體驗閱讀。

最近許多家庭都有汽車。

過去駕駛汽車，必須手動控制方向盤，所以大多數司機上駕訓班、考取駕照，駕照幾乎都是拿第一種普通駕照[*]。可見駕駛汽車多麼困難。

最近生產的車輛多數都是自排車，所以駕照都拿第二種自動駕照[†]。可見駕駛汽車比過去更簡單了。

我想，閱讀法也是如此。

---

* 韓國汽車駕照分為兩種。考過第一種普通駕照，可駕駛汽車、十五人以下巴士、載重十二噸以下貨車、三噸以下建築機材、總重十噸以下之特殊車輛等。

† 韓國汽車駕照分為兩種。第二種普通駕照又分為第二種普通和第二種自動，前者可駕駛汽車、十人以下巴士、載重四噸以下貨車、總重三．五噸以下之特殊車輛。後者只可駕駛搭載自排變速箱的車輛。

若閱讀法難以執行，閱讀行為將變得困難。閱讀變得困難，讀書的人也將逐漸減少。所以我想，該是讓閱讀法變容易的時候了。

現在起，希望各位都能以目錄閱讀法簡單地進行閱讀。

13 抄寫的當下，馬上能學以致用

「知而弗為，莫如勿知；親而弗信，莫如勿親。」

——孔子，出自《孔子家語．子路初見》

人在一生中會制定許多人生計畫，如考取證照的計畫、減肥計畫、考大學的計畫或進入理想公司的計畫等。接著便將這些計畫付諸實行。落實非常重要，甚至可能比計畫重要。即便制定了遠大的計畫，如果沒有付諸實行，計畫也只是無用之物。本書中介紹的目錄閱讀法正是如此，熟悉了目錄閱讀法，卻沒有真正落實，也就沒有意義。

我在執行目錄閱讀法的時候，曾有過立刻落實書中內容的經驗。上班族最關心的事，就是與金錢相關的議題。工作的目的不正是為了維持生計嗎？人們都想妥善管理辛苦工作獲得的報酬，不斷擴大資產。我也是如此。當我腦中浮現這個想法時，我遇見了邁睿思資產管理公司代表理事 John Lee 的《財富是這樣養成的》。

看見這本書的當下，我立刻執行目錄閱讀法。這本書的目錄中，有以下內容：

第三章　財富自由之旅的九大階段
第〇階段　啟程之前
第一階段　制定你的資產．負債現狀表
第二階段　制定你的收入．支出現狀表
第三階段　減少負債是優先事項
第四階段　兩百塊也好，用多餘資金投資吧
第五階段　活用政府退休金制度
第六階段　財富自由，全家一起來
第七階段　多少錢才夠？設定具體目標

第八階段　你自己才是「專家」

第九階段　帶著積極的想法馬上開始

其中，有兩個標題特別吸引我——「制定你的資產．負債現狀表」和「減少負債是優先事項」。

我在抄寫目錄的當天，立刻落實書中的內容。首先，我買了一本筆記本，開始分類自己目前的資產和負債。以前，我只靠頭腦管理自己的資產和負債，然而實際寫在筆記本上，目前的資產和負債狀況能一目了然。看著筆記本上的負債，我開始每個月償還一定的金額。讀這本書之前，我只有模糊的想法，覺得：「等到有一筆錢再來還。」但是執行目錄閱讀法後，閱讀過程中我深深被內容吸引，並立刻付諸實行。

目錄結構的三大優點

在執行目錄閱讀法時，我發現，標題簡短且內容關鍵的目錄，可以立刻理解。這種目錄結構具有以下三大優點：

1. 可以立刻落實。
2. 節省時間。
3. 養成學以致用的閱讀。

可以立刻落實書中內容

目錄閱讀法可以幫助我們立刻付諸實行。將目錄抄寫在筆記本上，當下就能立刻實踐書中的內容。

節省時間

在運用目錄閱讀法前，必須從頭到尾讀完一本書，才能開始行動。不過，目錄閱讀法可以在抄寫目錄的當下，讓你看見自己需要或要實踐的內容，並立刻付諸實行。實踐能比單純的閱讀學到更多。

養成學以致用的閱讀

讀過書後應用在現實生活中，大概是人們閱讀或抄寫的最終目的。無論是從頭到尾把一本書讀完，還是只讀書中的關鍵部分，最終都會在生活中實踐。落實書本內容，讓我們與只單純閱讀的人有所不同，也讓我們學到更多。

關於實踐書本內容，韓國有一位知名的男作家，他想告訴那些沒有能力、背景和經歷的人，如何透過書讓自己變得搶手。他就是柳根瑢作家，著有《一讀一行閱讀法》。

柳根瑢兒時遭遇父母離異和繼母虐待，從此自我封閉。他從小就是個問題兒童，經常因為打架和飆車進出警局和法院。這樣的他，在軍隊裡遇見一本書，學到「一讀一行」的意義，意思是**讀完某本書後，即便只是實踐腦海中留下的一段內容，也能過上比現在更好的生活**。

自從他開始每天讀一本書，並以分為單位安排時間學習英文，不到兩年，他的年薪突破台幣二百五十萬。他能夠從問題兒童，搖身一變成為年薪上億的青年執行長，據說原因就在閱讀。

有句話叫「三分鐘熱度」。照字面意思來說，人們下定決心不到三分鐘，就會立刻鬆懈。乍看之下，人們似乎最多只能堅持三分鐘。

許多人如今依然是「三分鐘熱度」，無法堅持決心到最後。不過，我的看法稍微不同，**即使是三分鐘熱度，只要持續累積下去，三分鐘也可以變成一週，甚至是一個月**。我認為將書中內容化為行動，才是最重要的。

14 重新留意原本遺漏的內容

「如果不寫下來，我就沒辦法真正了解自己。」
——哈爾・埃爾羅德（Hal Elrod），美國作家、演說家和成功教練

想做好時間管理，有件事非做不可，就是檢視自己如何運用一天的時間。檢視自己在一天之中有沒有平白浪費或過度使用的時間。有個好方法，可幫助我們進行檢視，就是確實記錄自己一天內如何使用時間，包含早起睜開眼睛的時間、吃早餐的時間、短暫閒聊的時間、花費在交通上的時間等。記下所有時間後，自然會看出自己是否擅長時間管理。記錄與檢視也適用於目錄閱讀法，相較於單純用眼睛瀏覽目錄，親手寫下目錄時，每一個章節更容易進入腦中。

我曾經為了養成更好的習慣而閱讀。以往我只是用眼睛瀏覽目錄，因為單憑眼睛閱讀，也足以理解目錄。那時的我以為目錄比正文內容簡短，能更容易理解。然而，在我使用目錄閱讀法後，才發現自己大錯特錯。**當我從頭到尾一字一句抄下目錄，過去只用眼睛瀏覽時沒看見的內容**，才真正進入我的眼睛。明明閱讀時沒有注意，抄寫一遍後，才發現自己遺漏、出錯。

動手抄寫與單純閱讀的三大差異

親手抄寫目錄和單純閱讀目錄大不相同，差異有以下三點：

1. 能清楚看見目錄的內容。
2. 發現自己理解上的錯誤。

3.閱讀目錄最真實的模樣。

能清楚看見目錄的內容

我本以為用眼睛瀏覽目錄，也算是確實讀過目錄。然而，當我抄寫目錄時，才發現自己忽略了某部分的目錄，還以為自己早已讀過這些內容。

發現自己理解上的錯誤

理解上的錯誤，指瀏覽讀目錄時以為自己已經理解，實際上只是自以為理解，並沒有確實明白文字上的真正意義。當親手抄寫後，便會發現某些內容並不是自己所理解、所想像的那樣。

閱讀目錄最真實的模樣

過去讀目錄時，因為目錄的文句不長，我對自己的閱讀能力也有信心，所以我以為自己已經確實讀完了。**但是抄寫目錄後，原本我以為已經讀過的內容，才真正變成我的想法和經驗。**簡單來說，閱讀目錄的時候，我的心思放在別的地方，不在目錄上，但**抄寫目錄時，我全神貫注在眼前的目錄，所以比起其他想法，注意力更放在抄寫。**因為專注力高，所以能準確讀到目錄的內容。

抄寫目錄的價值

剛開始抄寫目錄的時候，我的想法很單純，覺得自己已經讀過很多書了。但是擁有豐富閱讀經驗和書量的想法，只是個人的錯覺，正如我在這本書中多次提到，我常有讀完書卻連書名也記不起的情況。

在圖書館閱讀也是一樣。我通常會在週末或休假日去圖書館。看著館內大量的藏書，原本微弱的閱讀欲望也逐漸被挑起。在欲望的驅使下，我經常隨興取出架上的書來閱讀，即使沒有從頭到尾讀完，只閱讀最核心的內容，我也覺得自己已經讀了非常多書。但是不知從何時開始，我連自己讀過哪些書都想不起來，並時常對此感到心慌。

隨著這樣的想法和情況越來越頻繁，我逐漸習慣了讀過什麼書都不記得的自己。也就是說，我已和書本達成妥協。

到書店看書也是一樣。每到週末，我前往開設在百貨公司內的書店。和圖書館不同，百貨公司內的書店，多會劃分新書區和暢銷書區，書本分為架上的書和擺放在平台上的書。如果是放在平台上的書，可以看見書本的封面，經過這些書，經常會不自覺被書封設計和書名吸引，伸手翻閱。

不知從何開始，我發現自己已大量閱讀書店裡的書。當然，即使在書店買下許多書，之後沒有閱讀的話，也沒有意義。然而，就算沒有買書，有時一**邊逛書店一邊攤開**

書本閱讀，或為了自己的需求閱讀，這些書中知識仍具有一定的價值。

有了這樣的想法後，我在書店閱讀的書，也一定會抄寫在目錄筆記本上。或許有人會想：「在那麼短的時間內瀏覽的書，就算把目錄抄下來，也沒有意義吧？」但就我個人經驗來說，至少比沒有抄寫還有用。

因此如果在圖書館或書店瀏覽、翻閱書本，我建議這時可使用目錄閱讀法。只要抄寫在目錄筆記本上，日後總會有想再看一眼的時候，這時筆記就有了價值。我曾經在書店執行目錄閱讀法讀理財書。多虧這個方法和這本書，才讓我每個月存下百萬韓元，每年存下近千萬韓元。

在日常生活中，我們已經熟悉眼睛看見的一切，所以經常以外貌為標準判斷一個人。有句成語是「冰山一角」，從表面看，冰山看似不大，然而水面下卻隱藏著又大又深的冰山。同樣地，我們所看見的事情，有絕大部分隱藏在背後，表面看見的只是極其有限的一部分而已。

閱讀也是如此。

或許我們以為讀過書就等於理解了一切，不過親手抄寫後，原本遺漏的內容就可能重新進入我們的大腦和心中。

15 簡單到任何人都辦得到

「讀書不破費，讀書利萬倍。」

——王安石，北宋政治家、文學家、思想家

人在一天當中有許多想法和動作。比如說，一早起床伸懶腰、吃早餐、上班途中喝杯咖啡、搭乘大眾運輸、早晨短暫的散步、和朋友見面握手、在路上行走等。這些想法和動作有一個共通點，就是所有人都辦得到。

這些都是人們不費吹灰之力就能做到的日常瑣事，不需要艱深的知識或教育，就能輕鬆達成。我想，這種特徵也應該存在於閱讀法中。**閱讀法不應該是困難的，而是必須要簡單到讓任何人都能辦到。**

好的閱讀法必須具備三大條件

如果問，世界上什麼閱讀法是最好的？答案大概是能讓人從頭到尾徹底理解，還能默背整本書的閱讀法。要是真有這種閱讀法存在，想必世界已經天翻地覆，市售的閱讀法書籍也將充斥著這一種方法了。

韓國有關閱讀法的書籍多達數十種。雖然無法斷定每種閱讀法的好壞，不過每個人都有適合自己的閱讀法。對於剛開始閱讀的讀者而言，閱讀法的存在就是最大的幸運。

我在軍隊服役期間，是最早熱中於閱讀的時期。當時，我連閱讀法的存在都不知道。我為了解決現實生活中遇到的困難而買書閱讀，在漫無目的的閱讀中，竟然領悟出一套閱讀法，這大概是不幸中的大幸吧！也因為這樣，我才能寫出第一本著作《軍隊中的奇蹟閱讀法》。

在閱讀和寫書的過程中，我對閱讀法有了自己的想法：

1. 必須適合各個年齡層。
2. 在使用上必須簡單。
3. 不能過於複雜。

閱讀法必須適合各個年齡層

世界上有許多國家和形形色色的人，每個國家的文化、語言和生活習慣天差地別。即使是鄰近韓國的日本，也和韓國文化大不相同。從汽車駕駛座來看，兩國的駕駛座恰好相反，坐在車內時，韓國的駕駛座在左邊，而日本則在右邊。由於汽車駕駛座的位置不同，汽車行駛時，路上的號誌和標示的位置與意義也有所不同。

如果全世界與汽車相關的規定全部統一，或許人們能更輕易地駕車出遊。閱讀也是一樣，**如果在閱讀時有更簡單的方法，就能幫助更多人閱讀和理解書本內容**。目錄閱讀法一點也不難，任何人都能學會，只要從抄寫書名和目錄開始。不必想著要加快閱讀速度，也不必挑燈夜戰，只要把目錄抄寫在筆記本上就好，之後再閱讀也不遲。

使用方法必須簡單、好用

智慧型手機和電腦的出現，為全世界帶來巨大的改變。人們已經進入更快、更方便，也更多元的時代了。如果不會使用電腦和智慧型手機，將無法享受現代文明帶來的便利。然而，在現代文明的時代，父親輩以上的中老年世代，依然有人拒絕使用手機和網路。在這些人當中，當然也有從事ＩＴ相關工作，且快速適應時代變化的人，他們知道何謂現代文明，享受著日常生活上的便利。但是仔細觀察周遭，不乏對使用智慧型手機感到陌生，並抗拒電腦帶來的便利之世代。聽完他們的想法，都是覺得「困難」。因為困難，所以不願意親近。這種情況在閱讀上也是一樣，不願意閱讀的人，理由大多是覺得閱讀很難。即使是喜歡閱讀的我，看見內容艱澀的書，也會討厭閱讀。然而，**目錄閱讀法一點也不困難，只要寫下來就好**。抄寫後，如果有想閱讀的部分，再翻開對應的頁數即可。

執行方法不能複雜、難懂

我至今使用過兩款智慧型手機，第一支是二〇一一年蘋果的 iPhone 4S。我在軍隊擔任軍官的時候，當時 iPhone 大受歡迎，即便是無意購買智慧型手機的我，也在眾人的口耳相傳下買了 iPhone。

由於軍隊的資安保密相當嚴格，即使買了智慧型手機，也有不少規定，無法像一般人一樣使用。而且手機只有 2G，也不會對日常生活造成太大影響，所以我認為沒有一定要買智慧型手機的必要，暫且擱置買手機的事。但是身邊的朋友反而覺得不方便，最後我還是買下智慧型手機。

第二支智慧型手機是三星 Galaxy S8。我原本打算購買蘋果的產品，但是離最新款上市還需要一點時間，而且我也想支持韓國品牌。

使用過品牌不同的兩款手機後，我認為三星的操作比蘋果的手機更為容易。尤其是拍照和傳送照片，還有手機充電功能差別最大。如果使用蘋果產品，必須先開啟蘋果公司開發的管理程式 Itunes 的電腦版，才能傳送照片。但是 Galaxy 不必安裝其他程式，只要有傳輸線就能傳送照片。而且當 Galaxy 手機需要充電時，因為多數 Android 產品的線都差不多，可以向別人借用充電線，或在任何地方充電。但是蘋果產品的充電線規格不同，身上有蘋果充電線的人並不多。

這種情況與閱讀法相通。市面上有許多與閱讀法相關的書，但是有幾種閱讀法內容過於艱澀。人們是為了加強閱讀才購買閱讀法書籍，反而卻在學習閱讀法的過程中備受壓力。

然而，目錄閱讀法一點也不複雜，不只沒有華麗的外表，還非常簡單，所以任何人都能辦得到。

天氣有改變人們情緒的能力。

天氣晴朗，人們的心情也變得愉快。下雨天，人們的心情也不知不覺變得悲涼。若在雨天外出，雨傘不可或缺。如果雨傘做得太花俏、太複雜，使用上肯定非常不便，倒不如穿雨衣還比較方便。

閱讀也是如此。

複雜華麗的閱讀法或許看起來吸引人，但是站在讀者的立場，難以理解的閱讀法反而可能引起對閱讀的反感。

16 抄寫過一次，對內容就能永生難忘

「不能完整寫下來的，就不能做出正確的判斷。」
——笛卡兒（René Descartes），近代法國數學家、哲學家

美國之父班傑明．富蘭克林（Benjamin Franklin），韓國儒學家丁若鏞，兩人有一個共通點，就是筆記和編書的習慣。

富蘭克林是美國家喻戶曉的人物，出生於貧窮的打鐵匠之家，靠著閱讀和筆記的習慣，成為在美國歷史上留下輝煌事蹟的名人，他的頭像甚至登上美國百元紙鈔，受到人們的尊敬。

丁若鏞是韓國朝鮮後期著名的實學家，透過筆記和編書，為現代人帶來巨大的影

響，著作《牧民心書》更廣泛地受到人們的閱讀。

試想兩位如果沒有筆記和編書的習慣，會是什麼樣的景象？我想，他們依然會對自己的國家帶來正面影響，不過他們的言行和思維，或許不會如現在般受到人們的重視。這個道理也適用於閱讀。**閱讀是很有幫助的行為，但是過程中如果沒有做筆記，從書中獲得的知識就可能如浮雲般消逝得毫無蹤跡。**

避免讀過就忘的三方法

每個人對自己小時候都或多或少有印象深刻的記憶。我在國小時期學騎自行車的事，是我印象最深刻的記憶，回想起那段歲月，至今依然記憶猶新。那時，我騎著四輪自行車，車前和車後各有一個人體軀幹大小的輪子，在後輪的左右兩側各有一個足球大小的輪子。當時不知道電腦和智慧型手機是什麼，孩子們總是騎著自行車，和朋友們盡情玩樂。

比起兩輪自行車，四輪自行車更容易控制平衡，所以兒童或初學者都能輕易上手。等到熟悉四輪自行車後，再練習兩輪自行車。從四輪自行車邁向兩輪自行車，必須經過以下過程：

1. 取下後輪左右兩側的小輪子。
2. 需要在後方扶著的輔助者。
3. 多加練習。

取下後輪左右兩側的輪子後，初學階段騎的四輪自行車，將會變成另一種模樣。兩輪自行車和四輪自行車保持平衡的方式完全不同，所以一開始必須有人在後面扶著才能保持平衡。經過幾次協助，等到完全掌握平衡後，便進入沒有輔助輪也能騎自行車的階段。小時候學騎自行車的人，肯定忘不了第一次學會騎兩輪自行車的那一瞬間。一旦學會騎兩輪自行車，就等於獲得一輩子騎自行車的能力。

學會騎自行車的背後原因，在於我們透過身體熟悉並掌握動作。如果只靠眼睛學習騎自行車，就算方法背得滾瓜爛熟，實際上也不可能騎車上路。在閱讀時，也需要這樣的特性。

為了避免讀完書後忘記內容，需要三種方法：

1. 筆記。
2. 反覆閱讀。
3. 思考。

做筆記加深印象

閱讀時，如果能做筆記，確實記錄，就不必努力背下書中內容。想要回憶書本內容，也只要翻開筆記本即可。翻開筆記本閱讀的瞬間，文字會自然而然地進入腦中。

目錄閱讀法強調拿到書本後，從做筆記開始。將書名和目錄抄寫在筆記本上，當想不起書中內容時，翻開目錄筆記本即可回想。抄寫的優點在於能幫助我們加深印象，讓我們記住筆記內容。

反覆閱讀帶來大量練習的效果

做筆記的好處是能隨時反覆閱讀。如同經過反覆的練習，才能學會騎兩輪自行車，為了加深對書本的記憶，必須反覆閱讀。如果只有單純讀過，不把書中內容抄寫在筆記本上的話，日後將無法反覆閱讀。但是如果把書名和目錄抄寫在筆記本上，並且抄寫其他需要的資訊在目錄旁，就能在需要時攤開筆記本閱讀。

只要確實記錄，就能回想起自己讀過的書名、作者和主題。

有做筆記，就有邊讀書邊思考的效果

許多讀者談到自己的閱讀目的時，經常出現一個共通的答案——思考和思索。閱讀時，自然而然會開始思考某個議題，但是闔上書本後，閱讀期間思考的主題和內容，也跟著戛然而止。然而，目錄閱讀法以抄寫書名和目錄執行，即使手邊沒有書，也能藉由筆記本，一邊讀著書名和目錄，一邊思考書中的內容和主題。在思考的過程中，如果有感到好奇的地方，可以立刻翻到對應的頁數閱讀。但是如果沒有目錄筆記本，我們連自己好奇哪些部分都無從得知，還得重新翻閱書本，辛苦尋找書中內容。

在我們的人生中，肯定有終生難忘的時刻。可能是和初戀火熱的愛情，也可能是在美麗的旅遊景點留下的甜蜜回憶。

這些回憶終生難忘，可能是因為當下的感受相當強烈，也可能是因為我們日後一再回味，或記錄了這些回憶。

閱讀的時候也是一樣。如果有哪本書在閱讀時觸動了你的心，或是帶給你甜蜜的感受，一定要把這本書抄寫下來。

日後，紀錄將會成為獨特的回憶，讓我們繼續面對未來的人生。

17 實用才能讓書本知識發揮價值

仔細觀察家中，角落裡放著各式各樣的物品，有每天會用到的物品，也有閒置許久、沒有使用的物品。多數家庭的廚房裡，想必都有煮飯時需用到的砧板、剪刀、菜刀、碗盤和冰箱等。剪刀用於剪蔬菜，菜刀用於切割肉類，冰箱用於貯藏食物，避免食物腐壞，碗盤用於盛裝或分裝食物。

再檢查家中的鞋櫃，可以發現許多已經沒在穿，還占用鞋櫃空間的鞋，像是買來只穿過一次就再也沒碰過的皮鞋，或偶然在鞋店裡看見，覺得漂亮而買下的昂貴運動鞋。

每天使用的物品和久未使用的物品，最大的差異就是物品的「實用度」。每天使用的碗盤和冰箱，是日常生活中不可或缺的物品，因為實用，所以經常使用。如果送登山鞋給喜歡登山的人，對他們來說，登山鞋就是具有實用價值的禮物。

實用度也適用於閱讀。如果讀完書後便忘得一乾二淨，那麼書本做為知識載體的實用價值自然大打折扣。

隨手的筆記竟成為出書的幫手

我曾經根據服役期間的經驗，出版過一本《軍隊中的奇蹟閱讀法》。書中內容正如書名，是一本關於閱讀法的書籍。當時我擬好全書目錄，便開始撰寫正文。

這本書的目錄中，有這樣的章節標題：

第4章　軍隊中的奇蹟閱讀法

提問讓人積極閱讀

光看標題，也能大略猜到正文的內容，這個章節跟提問有關。問題是，我在寫作時，想不起跟提問相關的內容和題材。為了尋找與標題有連結的題材，我絞盡腦汁卻怎麼也想不出來，就這麼煩惱了好一陣子。

某天，我忽然想起一本我用來抄寫目錄的筆記本。當然，我沒想到這本筆記本會帶給自己多大的幫助，也沒想到後來會運用在閱讀法，因為那不過是我在閱讀的過程中，用來隨手記錄的筆記本而已。

多虧這本目錄筆記本，我才能寫出書中的某一部分。那時，我抄寫的內容分為前後兩頁，前面抄下印有書名的封面，背面抄的是目錄，也就是用一張紙的兩頁抄完內容。那段時間我所寫的目錄筆記本，就像堅持某個原則一樣，把書名和目錄分別抄寫在一張紙的前後兩頁，一定會在一張紙上抄完。

也因此，翻開寫有目錄的那頁，章節一目了然。當初在抄寫時，我還根據目錄主題的重要性，用不同顏色的筆抄寫，所以一眼就能看見需要的內容。再加上一張紙抄寫一本書，從筆記的頁數就能知道讀過幾本書。

我想起那本筆記本，也想到自己曾在筆記本上抄寫與提問相關的書。我翻開筆記本，一頁翻過一頁。果然預感沒有錯，我找到與提問有關的書。我讀著筆記本上的內容，從中尋找靈感，做為寫進書中的內容和題材。

要是之前我在閱讀時，沒有抄寫書名和目錄，需要時肯定得不到任何幫助吧！

閱讀法必須具備實用功能的三大原因

雖然是誤打誤撞的好運，但是多虧目錄筆記本，我才能完成第一本書。因此，我認為針對閱讀而設計的閱讀法，必須具備實用功能。原因有三：

1. 知識必須與日常生活相關。
2. 閱讀目的和人生有關。

3. 有需要，才能持續。

知識必須與日常生活相關

世界上存在許多理論知識和假設。理論知識如果脫離現實，永遠只是假設。脫離現實的知識，與人們當前的日常生活毫無關聯，不僅逐漸失去必要，也和人們的生命漸行漸遠。閱讀也是如此，**如果閱讀法對你的生活毫無幫助，就必須懷疑這個方法的實用度。**

閱讀目的和人生有關

人在日常生活中的一舉一動，都與個人的生命息息相關。簡單來說，喝水、進食和建立人際關係等行為，都與自己的生命有關。喝水進食可以維繫生命，建立人際關係可以分享對彼此的情感和想法。我認為閱讀也是如此，**如果讀的書和生命毫無關聯，閱讀**

的意義將不復存在。

有需要，才能持續

觀察我們的周遭，棉被、枕頭、牙膏、牙刷和衣架等，都是生活中不可或缺的必需品。職場同事、朋友和家人，都是彼此互相幫助、相互扶持的重要人物。在閱讀上也是如此，**如果這個閱讀法是我在人生中所需要的，自然會有持續運用下去的動力**。所以閱讀時少不了筆記，如果只有單純讀過而沒有記錄，堅持閱讀的力量將會日漸削弱。

美國於十九世紀末至二十世紀初發展出稱做「實用主義」（Pragmatism）的哲學思想。最早出現在美國哲學家裴爾士（Charles S. Peirce）的論文〈如何使我們的觀念澄澈〉（*How to Make Our Ideas Clear*）。Pragmatism一詞源自於希臘語Pragma，韓國翻譯為「實用主義」，對於形塑今日的美國貢獻良多。

當時從歐洲遷往新大陸的人們，為了對抗居住本地的原住民和野生動物，需要能派上用場的實用物品，這種生活哲學逐漸根深柢固，形成今日美國的生活方式。

我認為，這個道理也適用於閱讀。**閱讀法必須有益於人生，讓人生過得更好，如果無法在實際生活中發揮功能，還有什麼意義呢？**

18 閱讀搭配筆記，更能全神貫注

「再怎麼軟弱的人，只要付出全部精力在唯一一個目標上，任何事都能有所成就。但是再怎麼強大的人，如果將力量分散在許多目標上，那他什麼事都成就不了。」

——孟德斯鳩（Montesquieu），法國啟蒙運動時期的法學家和哲學家

在足球比賽中盤球（dribble）的選手、在圍棋比賽中和對手較量棋藝的棋士、將物品或人物描繪在素描本上的畫家、在眾多觀眾面前展現身體柔美線條的舞者、用世上最優美的樂器——人聲，帶給聽眾感動的歌手，這些人都有一個共通點，就是「專注」。專注的瞬間，人們進入精神高度集中的狀態，與平時狀態的層次完全不同。

結束專注的瞬間，如果問他們當下在想什麼，得到的答案大多相同，多數都想不起當時的想法。足球選手說：「自己和球合而為一。」棋士說：「自己和圍棋合而為一。」而歌手說：「自己和歌曲情緒合而為一。」

那一瞬間，他們全都專注在當下，即使任何人對他們說話，或是整棟建築倒塌，他們的眼睛也不會眨。

抄寫讓你樂在其中

電影院有許多好看的影片、好吃的東西，皆讓人樂在其中。放映廳裡，還有一般家中看不到的大銀幕和震耳欲聾的音響。

隨著電影種類的五花八門，不論是動作片、愛情片，還是喜劇片，不同類型和題材的電影，吸引著各種觀眾的眼球。或許是因為這種多元化，看電影時，我們總不知不覺地把自己帶入劇中演員的情緒中。

看溫馨片會眼角泛淚，看喜劇片時，劇中演員令人捧腹大笑，看動作片時，不禁想像電影中主角般熱血且激昂。看電影的當下，我們似乎和電影中的角色合而為一。當我們以為自己成為電影中的角色時，開始帶入電影裡的情緒，直到電影落幕的畫面跳出，在心中短暫沉睡的理性才重新覺醒。有時過於入戲，還會捨不得走出電影院。

我曾經在書本中得到類似的感受，那是在我抄寫書名和目錄的時候。如果只是單純閱讀書籍，當下雖然集中了注意力，但書籍的類型和內容，難免會影響注意力的強度。而且在忙碌的生活中，有時閱讀也讓人感到壓力不小。

但是，**在筆記本上抄寫書名和目錄的單純行為，卻能讓我全神貫注在自己所寫的單字和句子上。**最令人驚訝的是，抄完目錄的開頭和結束最後一個章節標題的時候，不只有成就感，還覺得通體舒暢。因此，閱讀絕對不能少了筆記。

從指尖傳來的幸福

電影《魔鬼終結者》（*Terminator*）的主角，美國演員阿諾．史瓦辛格（Arnold Alois Schwarzenegger），曾在一場演講中這麼說道：

美國有七〇％左右的人，在工作時選擇了自己討厭的工作。他們的臉上經常滿是厭惡工作的表情。

他也說過，自己為了成為健美先生，每天都得運動四個小時。運動時，即使舉起自己體重兩、三倍的重量，也不覺得辛苦，反而非常開心。

這種現象在我們生活周遭也時常見到。上班族總說自己工作時找不到快樂，只有升遷或加薪的時候，才會稍微感到愉悅。時間一久，開心的情緒不知不覺消失無蹤，從此過上隨現實浮沉的生活。

但是每到週末或休假日，我們便有時間脫離職場，做自己平時渴望做的事情。例如：和平日難以見面的朋友約會、跟情人吃一頓好料，或是來一趟愉快的旅行。如果因為工作而無法在平日進行休閒活動，不妨利用週末的時間運動或學習樂器。如果你喜歡進修，也可以上外語補習班或準備證照。

旅行、運動或學習等，從事這類自己感興趣的活動時，將可獲得工作上感受不到的體驗——投入和專注。**在投入與專注的那一刻，我們不會被其他事物擾亂心神或分散注意力，而是擁有專注當下的力量。**

我在執行目錄閱讀法的同時，親身體驗到這種感受。以前我在閱讀時，若手機鈴聲響，就會立刻檢查手機螢幕，如果有人經過身旁，我便無法專注精神。**但是攤開筆記本，抄下書名、目錄和作者等書中內容，我發現自己完全沉浸在書本和筆記本中。抄寫完一本書後，甚至能感覺到幸福和意義非凡，也期待再進行下一本書。**

我們心中有各式各樣的情緒，幸福、不安、歡喜、憂鬱和美滿等。

在諸多情緒中，我們是否只釋放負面的情緒呢？

在人的一生中，每個人感受到的情緒都不同。觀賞電影時，可以讓人感到快樂，旅行可以帶給人們幸福感。

重要的是，在做某件事時，知道自己能否從中獲得快樂和幸福。所以一定要做好筆記，記下自己做什麼事會開心、在什麼情況下會感到不安。

閱讀也是如此。

從現在起，希望你不再只靠眼睛閱讀，而是透過親自手寫的閱讀法來感受幸福。

19 用筆記本打造專屬書櫃

「聖經記載之信而有徵，實遠非世俗的歷史所能比擬。」

——牛頓（Sir Isaac Newton），英國科學家

圖書館裡除了書籍，還有為使用者提供的各項便利設施，例如：電腦、報章雜誌、咖啡、餐廳和電影放映室等。或許因為提供這些設施，圖書館向來是人們經常造訪的機構之一。其中，電影放映室深受使用者的喜愛，越來越多人捨棄距離較遠的電影院，選擇到住家附近可以免費使用的圖書館看電影。雖然電影放映室的螢幕沒有電影院大，音響設備也不如電影院，但是可以安靜欣賞電影，不受別人打擾，且受歡迎的電影大多都有館藏。

在圖書館找電影的時候，圖書館館藏電影清單特別重要，多虧這份清單，人們才能輕鬆找到自己要看的電影。而且參閱清單，還能找到其他想看的電影。同樣的情況也適用於目錄閱讀法，**如果為目錄筆記本中的每本書列出目錄，將可提高目錄筆記本的價值和實用度**。

為什麼需要編寫筆記本的目錄？

以前的我在閱讀時，重點放在「讀」書，所以每次買書，最先做的事情就是「讀」書。我會一邊閱讀，一邊在重要的句子下畫線、貼上標籤貼，或摘錄書中句子。當摘錄的重要句子寫滿筆記本時，總讓人心滿意足。有人說：「抄書對寫書是最好的練習。」所以我甚至抄寫過整本書。用抄寫的方式讀完一本書，通常需要三到四本筆記本，讀完的當下會非常有成就感。

但是，我發現了幾個問題：

1. 就算抄寫、記錄書中重點，要用到時還是不容易查找。
2. 搜尋資料會花費不少時間。
3. 實用度低。

雖然為重要的句子畫底線、摘錄用得到的句子是好事，但是當我真正需要時，卻找不到自己寫在什麼地方。因為筆記本中不會只記錄某一本書的內容，其他書的重要句子也會抄寫在上面。為了找出需要的句子，必須一邊回想，一邊翻找筆記本的每一頁，既辛苦又不便。當然，感受因人而異，不過對於重視書本實踐和實用度的我來說，不方便等於降低了筆記本的實用。也就是說，雖然抄寫的行為很好，當下也帶來滿滿的成就感，不過這些還不足以應用在現實生活中。抄寫整本書也是一樣，把整本書的內容抄在筆記本上，當下會有成就感，也能看到重要的句子，但是以後如果想找當時印象深刻的句子，必然得花上一段時間，經歷難以搜尋的不便。

運用目錄閱讀法一段時間後，我也發現了這個缺點。在同一本筆記本上抄寫書名和目錄，書一本一本累積下來，不知不覺就寫滿了一本筆記本。如果筆記本只抄寫一、兩本書，翻不到幾頁就能立刻找到想要的句子。然而，一旦目錄筆記本裡的書超過五本，想要立刻找到自己需要的書本內容，就變得困難重重。這時，目錄筆記本也需要目錄。

編目錄帶來的附加價值

目錄筆記本誕生的背景，反映我個人強調的便利與實用。起初我的目的非常單純，只要能透過抄寫書名和目錄，保留我需要的資訊，並解決不便就足夠。但是持續進行目錄閱讀法，寫滿一本筆記本後，我發現了另一個問題——無法立刻找出需要的資訊來使用或寫書。我把這個問題稱為「筆記本的實用度」。

為目錄筆記本編寫目錄，正好可以解決這些問題和不便。我發現，製作目錄有三個優點：

1. 可以立刻找到需要的書籍資訊。
2. 即使沒有記在腦中，也可以快速搜尋。
3. 可以節省時間。

可以立刻找到需要的書籍資訊

目錄閱讀法的優點之一在於抄寫，因為已經做了筆記，所以一眼就能看清楚自己讀過的書和書中的重要句子，也方便搜尋和查找。但是隨著閱讀的書本數量增加，筆記本上抄寫的書量也不斷增加，資訊量隨之增加。資訊量越多，查找資訊的時間也越長，因此編寫目錄，正好可以解決這個問題。

即使沒有記在腦中，也可以快速搜尋

目錄筆記本的目的，在於彌補單純閱讀時容易遺忘的缺點，並且在抄寫的同時加深印象。然而，隨著書量的增加，資訊量大增，目錄閱讀法獨有的好處也大打折扣。編寫目錄能夠保留這種好處。將筆記本上的書籍資訊重新整理為另一份目錄，能幫助我們快速確認目錄筆記本上抄寫的書，也能使我們更快找到筆記本上抄寫的內容。

可以節省時間

時間相當寶貴。科學技術與ＩＴ產業的發展，使人們的生活變得更快、更便利，從每天使用的電腦和智慧型手機即可證明這個變化。人們的生活因此變得更加忙碌，時間也越來越少，甚至經常覺得時間不夠用。

若目錄筆記本有目錄，閱讀時即可達到節省時間的效果。當你想到某個自己需要的資訊時，不必翻找筆記本的每一頁，只要翻到筆記本的目錄，就能立刻確認。

選擇權掌握在你手上

閱讀這本書的你，如果你的目錄筆記本已經寫滿書名和目錄，我想給你掌聲和祝福。因為要寫完一本筆記本，需要付出非常多的時間和努力，而你不只是閱讀這本書，更願意親身實踐。

光是抄寫完一本筆記本，就值得鼓勵，也絕對有資格自豪。所以是否製作目錄，或你覺得製作目錄有些麻煩，日後再做也無妨。

但是如果你在執行目錄閱讀法的過程中，在查找自己所需資訊時有遇到困難，我會建議為目錄筆記本製作目錄。製作目錄筆記本的目錄非常簡單，只有短短幾頁，卻能為你的人生省下許多時間，也能讓你在閱讀時，藉由書本更快、更有效地接收最直接的資訊，如同使用網路搜尋般。
選擇是自由的，無論你做出什麼決定，我都尊重你的選擇。

第 4 章

精準閱讀的抄寫筆記技巧

20 開始閱讀前的準備階段

「人生成功的祕訣，就是讓一個男人為它的機會做好準備。」
——班傑明．迪斯雷利（Benjamin Disraeli），前英國首相

在生活中，我們必須隨時做好各種準備，例如：旅行前的準備、求職的準備、老年生活的準備等。如果要去旅行，必須先規畫旅行路線，搜尋旅行期間要去的觀光景點。為了求職，得先考取證照，針對自己投遞履歷的公司做好功課。面對未來的老年生活，我們可以投保年金儲蓄險或投資其他不動產。預先做準備也適用於閱讀，在正式進入目錄閱讀法前，需要做好準備。

不能缺少的三大物品

我在閱讀時都會準備三件物品，分別是文具、標籤便利貼和筆記本。這些物品在其他的閱讀法中多有介紹，若你是愛書的讀者，想必在閱讀時也至少會用到其中一件物品。

雖然知道這三件物品在閱讀時相當重要，不過我也經常有沒用到這三件物品的情況。如果我手邊沒有這些物品，只能在書頁折角、做記號，但是之後翻開書，經常忘記自己是為了哪段句子做記號。

然而，在執行目錄閱讀法後，我有了完全相反的體驗。因為目錄閱讀法從抄寫目錄開始，所以我總會隨身攜帶筆和筆記本。目錄是主要抄寫的內容，所以沒有實體書的時候，我也會利用網路或手機查找目錄。

執行目錄閱讀法時，有幾件物品不可或缺：

1. 筆記本。
2. 書寫工具。
3. 目錄。
4. 其他。

選擇一本適合抄寫目錄的筆記本

筆記本的種類相當多，例如：線條筆記本、空白筆記本、A4大小筆記本、B5大小筆記本和手冊等。通常在書店、網路商店或販售辦公用品的地方都能買到。

要執行目錄閱讀法，我建議一開始使用線條筆記本，因為紙上印有線條，方便計算一頁可以寫的行數，看起來也較為乾淨和簡潔。我也建議使用封面紙質稍厚，或封面使用厚紙板材質的筆記本，這類封面可以用來當作筆記本的墊板。

如果是空白筆記本，抄寫時必須想像不存在的線條，較不方便，也可能有抄寫字體忽大忽小、看起來較雜亂的缺點。

選擇筆記本的大小，以Ｂ５或Ａ４最為合適。如果筆記本太大，較不方便攜帶，所以我建議選購可以拿在手上、方便攜帶的大小。不過，還是根據個人喜好選擇筆記本，選用什麼類型都沒關係。

筆記本的目的在於，一眼掌握抄寫的內容，也做為閱讀的輔助。可以根據這個目的挑選筆記本。

書寫工具越繽紛，對日後的閱讀越有幫助

許多讀者在閱讀時會準備一枝筆。閱讀時如果手邊有書寫工具，一定可以達到不錯的效果，可以在讀到重要段落、關鍵句子和深受感動的文句時，畫底線或做記號。

要執行目錄閱讀法，書寫工具不可或缺，不妨把書寫工具和筆記本看成一組，就像密不可分的針和線一樣，筆記本和書寫工具同等重要。如果沒有書寫工具，即使有筆記

本，也無法抄寫目錄。

準備書寫工具時，最好有兩種以上的顏色。書籍封面上，印有黑色、藍色、紅色等各式各樣的顏色。目錄也是一樣，我們可以發現，某些書目錄的各個章節標題，會根據內容不同而有不同顏色。

此外，將目錄抄寫在筆記本時，如果盡可能用和原書一樣的顏色來抄寫，之後重讀時，就能立刻喚起記憶。如果用更繽紛的顏色抄寫，對日後反覆閱讀也會有所幫助。

閱讀目錄的三種管道

閱讀目錄的方式相當多元：

1. 書本：最好的方法是透過書本閱讀。在書上列出的目錄很容易閱讀，印有目錄的頁面背後，還能另外做筆記。而且在抄寫目錄的過程中，如果被迫中斷，之後也能立刻找到上次中斷的段落，繼續抄寫。

2. 網路：近來人們在家中或公司，多少都會有一台桌上型電腦。如果沒有桌上型電腦，利用筆記型電腦來檢視目錄也無妨。要透過網路閱讀目錄，得先進入網路書店。在自己喜歡的網路書店搜尋書籍即可。要注意，網路必須隨時保持連線。

3. 手機：由於智慧型手機的成長與發展，幾乎到了人手一機的地步。手機有著容易攜帶、隨時隨地都可以使用的優點，因此也可以透過APP直接進入網路書店，輕鬆檢索書籍，將目錄抄寫在筆記本上。

每到連續假期，全國觀光客開始忙著搜尋旅遊景點和美食餐廳，為假期做好準備。規畫旅遊行程並不輕鬆，但是所有人都樂在其中。因為在旅行期間，眾人即將創造美好的回憶。

目錄閱讀法也是如此。我們搜尋書籍、瀏覽目錄，並且準備好各種需要的物品，就是為了抄寫目錄。相信你在閱讀期間，也將能親身體驗美好的瞬間。

21 抄寫看似簡單，但一出錯就失效

「開始階段是工作裡最重要的一部分。」

——柏拉圖（Plato），古希臘哲學家

無論什麼事情，開始階段都是最重要的。如果一開始就出錯，之後很可能一步錯、步步錯。用一個簡單的例子來說明，如果穿襯衫時，從第一顆扣子開始扣錯，整件衣服雖然可以穿得起來，卻顯得鬆垮可笑。再以奧運比賽來舉例，奧運是全球頂尖運動選手參加的比賽，每位選手都是在自己國家裡實力最強的選手。若這些選手站在一百公尺短跑的起跑線上，在爭奪小數點差異的比賽中，一旦起跑出現失誤，排名就可能落後其他選手。

這些例子都可以發現，任何事情的開始階段相當重要，而閱讀的開端也是，因此本章特別強調執行目錄閱讀法時，要先抄寫什麼內容。

好書名能抓住讀者的心

有幾本在我大學時代讀過的書，直到現在印象還相當深刻，是當時韓國所有青年都一定聽過的書。

一本是美國宗教學教授慧敏法師（Haemin Sunim）的《停下來，才能看見》，另一本是韓國首爾大學金蘭都教授的《疼痛，才叫青春》。

慧敏法師出版的《停下來，才能看見》，已經有三百多萬名讀者讀過，在韓國二〇一二年與二〇一三年的暢銷書總榜上占據第一名，創下霸榜時間最長的紀錄。

金蘭都教授出版的《疼痛，才叫青春》，在二〇一一年有一百四十多萬讀者讀過，出版兩週便賣出五萬多本，創下許多令人驚訝的成績。

這兩本書的內容溫暖感人，也都非常精采，帶給現實生活中的青年希望與慰藉，所以才能受到許多讀者的喜愛。除此之外，我認為還有一個重要的因素。那就是「書名」。兩本書的書名，皆立刻吸引讀者的目光。當時的學生，大多讀過金蘭都教授的《疼痛，才叫青春》。

根據出版界的說法，慧敏法師的《停下來，才能看見》原本是另一個書名。由此可見，一本書的書名相當重要。

這些特點也適用於目錄閱讀法。

三步驟啟動目錄閱讀法

走進書店和圖書館，讀者最先看見的自然是書名，所以寫書的作者和出書的出版社，都相當看重書名。書名在執行目錄閱讀法時，也是非常重要的關鍵。

啟動目錄閱讀法的方法有三步驟：

1. 抄寫書名。
2. 抄寫封面的文案。
3. 寫下日期和地點。

抄下書名

準備好目錄閱讀法需要的筆記本後，翻開第一頁，把書封上的書名抄寫在空白頁。抄寫書名時，盡可能和原書封面的設計一樣。多數封面的書名字體較大，如果不願意抄寫如書名這般大的字體，也盡可能寫出端正的字體。

抄寫在筆記本時，別忘了永遠全力以赴，這樣日後反覆閱讀時，目錄筆記本才能發揮真正的價值。相信這本目錄筆記本你會想一看再看，也會想好好收藏。

抄寫封面的文案，掌握全書重點

抄寫完書名後，接著抄寫封面上的文案。可能是書名的副標，也可能是書中所要闡述的核心內容，無論如何，最重要的是把書名和封面上的文字一併抄寫下來。抄寫完，就能大概知道這本書所要傳達的訊息，**因為作者通常會將書中所要傳達的內容和書名放在一起**。

寫完封面的內容後，也可把封面上的作者和出版社一起寫下來，未來需要這本書的詳細資訊時，只要看第一頁，就能獲得相關資訊。

寫下日期和地點，追蹤閱讀的當下

如果你是上班族，可能需要寫跟業務相關的報告。如果你是大學生，可能需要寫作業。有些人可能每天晚上為自己寫日記。其實，業務報告、作業和日記，撰寫目的和撰寫的角色並不相同，但三者都有一個共通的要素，就是寫下日期和地點。同樣地，進行目錄閱讀法時，日期和地點也很重要，一定要標示清楚，記錄這些資料，特別是對未來想成為作家的人有幫助，總有一天會需要這些資訊。即使是無意成為作家的一般讀者，也可能會有需要知道自己何時閱讀、在哪裡閱讀的情況。所以務必把日期和地點寫下來，以備不時之需。

人生中的第一次，總是令人印象深刻。第一次上班、第一次駕駛汽車、第一次墜入愛河、第一次創業……。

因為第一次嘗試，總是既期待又怕受傷害。

期待和擔憂的兩種情緒，引發人們微小的希望。或許是因為這樣，所以人的一生總是渴望新的開始吧！

目錄閱讀法也是如此。

在啟動目錄閱讀法的瞬間，你可能會感到莫名的憂慮，讓我們抱著如履薄冰的心情，開始把書抄寫在白紙上吧！

22 抄寫目錄的三大方法

「紀錄讓人留下記憶。」

——巴爾塔沙．葛拉西安（Baltasar Gracián），西班牙哲學家和散文作家

美國電影演員金凱瑞（Jim Carrey）因為一部《摩登大聖》（*The Mask*）聲名大噪，他曾接受某家電視台的專訪，表示雖然自己現在是全球知名的演員，但他也曾經歷過沒沒無聞的艱辛歲月，甚至過著無家可歸的生活。

在那段沒有名氣的歲月，他所做的努力相當簡單，就是把夢想寫在紙上。他寫了一張片酬一百億美元的支票，並隨身攜帶，同時相信著自己在三到五年內就能實現夢想，還將夢想實現的時間訂在一九九五年的感恩節。因為他經常翻看錢包裡的支票，長久下

來，支票變得又皺又破。一九九四年，他在電影《阿呆與阿瓜》（*Dumb and Dumber*）中獲得一百億美元的片酬。他能爬到今天的地位，起源於最初「書寫的力量」。

掌握全書的核心內容和大綱

起初我在執行目錄閱讀法的時候，並沒有什麼特別的程序或系統，只是單純地希望對閱讀有所幫助才開始抄寫。所以剛開始執行目錄閱讀法時，我主要抄寫書名、日期和抄寫的地點，因為這些資訊能幫助我了解自己讀過什麼書。

以前，我讀完書後，回想自己讀了什麼，卻怎麼也想不起來。而我執行目錄閱讀法的初期，有時會先抄寫書名，再總結整本書的核心內容和大綱，有時會像現在一樣抄寫目錄。

寫下書中核心內容和大綱，固然是不錯的方法，但是後來我發現，**目錄濃縮了整本**

書的內容，抄寫目錄反而能帶來更大的幫助。抄寫完目錄後，我發現自己同時掌握了整本書的核心內容和大綱。

抄寫目錄的方法可以分為以下幾種：

1. 多頁抄寫法（書名＋目錄）。
2. 兩頁抄寫法（書名一頁＋目錄一頁）。
3. 一頁抄寫法（書名＋目錄）。

不管頁數多寡的多頁抄寫法

這個方法是在第一頁寫上書名，接著翻到下一頁，按照原書目錄內容的順序照抄。

抄寫目錄的方法分為由左到右抄寫法和由上到下抄寫法。

由左到右抄寫的優點是可以填滿空白處，不過若有補充說明，比較難寫進對應處，所以我建議由上到下抄寫目錄，主要的內容會寫在左邊的頁面，右邊就有空間，可以寫進對目錄的補充說明或核心內容。

寫在一張紙，兩頁內的抄寫法

所謂寫在一張紙的兩頁抄寫法，就是在一張紙的正面寫上書名和書封上的文字，背面抄寫整個目錄。

要把整個目錄抄寫進同一頁裡，需要一些技巧。可在抄寫目錄前，先計算目錄章節共有幾個。有時候目錄分量較多，可能超過筆記本一頁可以抄寫的行數，這時可透過縮小字體大小，將原書的兩行字寫進筆記本一行中，藉此控制在兩頁內。

寫在同一頁的抄寫法

一頁抄寫法可以理解成兩頁抄寫法去掉第一頁。也就是從第二種方法中，選出需要的部分來抄寫。

首先，要抄寫的內容是書名，接著是目錄。同樣地，因為要在有限空間內抄寫目錄，所以必須在抄寫前計算章節數。抄寫時，再根據情況做調整即可。

哪種抄寫法好？適合自己最重要

前文介紹三種抄寫目錄的方法和類型。每個人的情況和偏好可能不同。

多頁抄寫法的優點，在於完成度最高。抄寫書名的時候，可以完全照抄書封上的內容，抄目錄時，也不必擔心頁數多寡，只要按照原書的格式原封不動地抄寫就好。而且在抄寫目錄的過程中，還能寫下書中的核心內容，**兼顧深入理解這本書的效果**。唯一美中不足的是需花費較多時間，所以如果是忙於出差、軍旅受訓或外派實施教育的情況，就不容易執行。

兩頁抄寫法有著一張紙就能抄寫所有內容的優點，因為**目錄抄寫在同一頁內，所以書本內容可以一目了然**。只不過目錄必須寫進同一頁之中，所以抄寫前，必須計算目錄的章節數。**兩頁抄寫法還有便於計算書本總數的優點**。當筆記本寫滿時，由於每一張紙代表一本書，可以很清楚知道這本筆記本抄寫了幾本書。

一頁抄寫法的優點，**在於所有內容都抄寫在一頁內**，所以不一定要寫在筆記本上，**也不需要任何格式或種類的筆記本，只需要一張紙就好**。如果是抄寫在筆記本上，筆記本有幾頁就等於抄寫了幾本書。

世界上有各式各樣的飲食和文化，因此人們的興趣和喜好也相當多元。有喜歡亞洲食物和東方文化的人，也有喜歡歐洲食物和文化的人，還有喜歡美洲大陸食物和文化的人。

閱讀方法也是如此。

每個人的閱讀方法和興趣不盡相同。有人依然對書本感到害怕，遲遲不敢開始閱讀。因此，我目前正從事與閱讀相關的教學。

書本是改變人生的辦法中最有效的。

如果你身處艱困的現實環境中，渴望改變人生，卻遭遇種種困境，那麼從現在起，就透過書本為人生帶來轉變吧！

23 閱讀目錄的三大方法

「知道自己正往哪裡走的人，即使去到世界任何一個地方，都能發現道路。」

——大衛・斯塔爾・喬丹（David Starr Jordan），美國魚類學家

世界上存在著好比針和線的關係般，彼此共存的事物。舉例來說，有書桌就有椅子，有水就有盛水的水杯，有考卷就有答題卷。有書桌卻少了椅子，生活會相當不便，有水卻沒有水杯，無法提供更多人飲用，有考卷卻沒有答題卷，無法考核學生的成績。目錄閱讀法也是如此，閱讀時，如果手邊有目錄筆記本，就能在閱讀時得到許多幫助。

改善閱讀時間不足的問題

以前我的閱讀方式是買書或借書回來，直接「讀」書中的內容，並認為有讀一定有幫助，總比沒讀還好。也因為這樣，經常會有沒讀完整本書或只讀其中一部分的情況。讀完書之後再重新翻開書本閱讀時，總是記不住之前讀過的內容，或不知道該從什麼地方開始讀。尤其是上班後少了空閒時間，閱讀時間嚴重不足，對讀書也產生不小的心理壓力。

這些都能透過抄寫目錄獲得改善。抄寫一遍目錄，就能達到瀏覽整本書一遍的效果。而且在抄寫目錄的同時，如果對部分內容感到好奇，讀完對應的內容後寫下關鍵字，日後重新閱讀時，就能回憶起之前讀過的內容。神奇的是，有時抄寫完目錄，對書中內容有一定的了解後，反而打消讀這本書的念頭，我也有過抄寫完目錄後，便沒再翻開那本書的經驗。

讀懂目錄的三種方式

目錄有三種閱讀方式：

1. 抄寫過一遍目錄後，再閱讀原書。
2. 邊抄寫目錄邊閱讀。
3. 抄寫完目錄後，只讀感興趣或不理解的部分。

抄寫完目錄後再閱讀內容

將全部目錄抄寫在筆記本後，再閱讀原書，可說是標準的目錄閱讀法。將目錄筆記本和原書放在桌上，先讀過目錄，再翻看原書對應的頁數，一邊回想目錄中的核心，一邊往下閱讀。以下舉例說明。

假設目錄中有個標題是「高效閱讀的八種方法」。書本的目錄上，標題後方通常會有該內容所在的頁數。如果是第三十五頁，可以立刻翻開對應頁數，正文中會有目錄提示的核心內容和補充文字，也會有無關緊要的說明。我們需要的是核心內容，也就是「高效閱讀的八種具體方法」。這時可一邊在腦中想著「八種高效閱讀法的核心內容」，一邊讀正文找到核心內容。

邊抄寫目錄邊閱讀

去書店或圖書館時，每次看見吸引人的目錄，即使沒機會閱讀正文，也會對書中內容充滿好奇。運用目錄閱讀法時也一樣，抄寫目錄後，常會想立刻閱讀書中感到困惑或好奇的部分。每次出現這種感受，我會立刻翻到對應的頁數閱讀，彷彿大腦下達命令，要我馬上閱讀對應的部分。

如果目錄抄到一半，看見「高生產力的兩種閱讀方法」這類目錄章節，而對應的頁數在第十頁，不妨立刻翻開閱讀吧！

抄寫後，只讀感興趣或不懂處

執行目錄閱讀法後，我發現，即使只靠目錄上的一段文字，也能知道正文內容。

這種方法能將上述優點運用在目錄閱讀法上。先抄寫一遍目錄，接著從頭再讀一遍目錄。重讀後，會有理解的部分，也會有難以理解的地方。已經理解的部分可以跳過，不必閱讀正文，而無法理解的目錄標題可先做記號，之後再閱讀。

這是我最近喜歡使用的方法之一，因為能節省時間。我認為，對現代人來說，一整天能閱讀的時間並不多，特別是上班族更是如此。

遭遇低潮時，可以只抄目錄就好

在運動選手身上很常看到這種情況，在增強實力、提高個人價值時，忽然遭遇運動生涯的危機，迎來了「低潮」。在每個人的人生中，也會遭遇人生低潮。

無論是上班族、家庭主婦、學生，還是藝術家或藝人，任何人都會有特別反常的幾天，覺得生活煩躁，做事提不起勁。「低潮」也會發生在愛讀書的人身上。這種時候，看到書就有壓力，閱讀變得枯燥乏味，甚至可能厭倦閱讀。**如果你正面臨這種情況，我建議採用目錄閱讀法，放下一切的想法和思考，只要抄寫目錄就好**。抄寫完畢，闔上書本和筆記本吧！直到你想閱讀前，都可以置之不理。給自己一段時間休息，直到再次需要書本。

出發旅行時，需要兩件物品，一個是地圖，另一個是指南針。

拜科學和技術發達所賜，地圖和指南針變得更加實用，也更容易使用。如今，地圖和指南針化身為導航，幫助人們在陌生的街道中找尋方向。

在手機裡下載地圖APP，就能在需要找路或尋找目的地時派上用場。目錄閱讀法正反映了地圖的特色。閱讀時，如果不知道該閱讀什麼部分，或不知道自己正在閱讀什麼內容，就會迷失在字裡行間。

但是有了目錄筆記本，便可以知道自己的閱讀正朝向什麼地方，輕而易舉找回迷失的道路。

24 除了目錄，也要抄下關鍵內容

「無論發生什麼事情，我都會記下一切。寫作就是思考，這比生活更加重要，因為這正是掌握生命意義的行為。」

——林白夫人（Anne Morrow Lindbergh），美國著名飛行員和作家

世界上有許多閱讀方法，透過不同方法，從書中獲得的價值也有所不同。有些人只有單純的閱讀，書本的空白處或文字間沒有留下任何痕跡，有些人遇見書中的重要句子或深有感觸的段落，會立刻畫底線，或抄寫在空白處。

閱讀筆記會有意想不到的價值

服役期間，我有段時間專注於閱讀，還將當時的經驗寫成《軍隊中的奇蹟閱讀法》一書出版，並且在出版的過程中，重新閱讀當時在軍隊讀過的書。

幸運的是，以前我在閱讀時，沒有任何人的指使，會主動畫重點，並將自己的想法寫在空白處。

至今仍記得，我被任命為軍官後，在軍隊度過了一段艱辛的歲月。當時讓我堅持下去的力量唯有閱讀。閱讀能讓我忘記自身的困境和現實的痛苦，我也能從中學習解決問題的辦法。所以在閱讀時，我習慣畫重點，並在空白處寫下自己的想法。多虧當時留下的紀錄，使我在出書的過程中得到許多幫助。

尤其是開始閱讀的日期、讀完整本書的日期、閱讀地點、當下感受與想法和日記等，這些訊息在我出書時幫了大忙。這也是目錄閱讀法不可或缺的價值。在閱讀目錄時，如果發現核心內容，務必做記號，並且抄下關鍵內容。

精準閱讀的筆記法

以前我在閱讀時，如果看見重要的句子，會立刻畫底線或是貼上標籤貼，因為讀完整本書後，還能翻開貼有標籤貼的頁面，立刻閱讀畫底線的句子。或許這個方式也是許多讀者使用的方法。

不過閱讀時，偶爾會有手邊沒有標籤貼的情況，而且標籤貼得一個個貼上，並不方便。所以有時手邊沒有標籤貼，或覺得麻煩時，我會改用在書頁折角的方式，缺點是闔上書本後，看不見折角處。

運用目錄閱讀法的好處是，讀到重要的句子或核心內容時，可以立刻抄寫下來，不過前提是已先在筆記本上抄寫好目錄。抄寫完目錄後，目錄旁會有一些空白處，能抄寫自己在這本書中讀到的重要句子或核心句子。

執行目錄閱讀法時，可以利用以下方式標記和抄寫核心句子：

1. 抄寫目錄時，事先做記號。
2. 抄寫完目錄後，再抄寫核心句子或關鍵字。
3. 需要的時候，再重新閱讀抄寫的內容。

抄寫目錄時，事先做記號

將目錄抄寫在筆記本的過程中，如果看見好奇的內容和重要的句子，心裡總會特別在意。雖然還沒讀過正文，不知道具體會有什麼內容，不過可以先在好奇的目錄章節做記號。

抄寫完目錄後，再抄寫核心句子或關鍵字

先做好記號，等目錄全部抄寫完畢，再回到記號處。確定章節對應的頁數後，翻開

正文的內容。在正文中，一定會有重複出現的詞彙，還有解釋目錄標題的重要內容。讀過這些內容，將核心句或關鍵字抄寫在筆記本。

需要的時候，再重新閱讀抄寫的內容

如果是記錄在書本內，之後想要再次閱讀時，還得重新找出原書。不過如果是目錄閱讀法，只要翻開筆記本，閱讀上面抄寫的目錄，並且留意部分記號和補充的關鍵字、關鍵句即可。

我在寫書的時候，曾利用目錄閱讀法，閱讀韓國作家許成準以日文寫作的《每一天都拉開差距》。

當時我運用目錄閱讀法，攤開筆記本，先抄寫書名，接著抄寫目錄。這本書韓文譯本的目錄是問句形式，使用疑問句的章節標題大約有七十個左右。在一邊抄寫目錄的過程中，我也一併抄寫一些熟悉的名人姓名和好奇的內容。

為便於讀者理解，以下介紹幾個小節。

「一早最好想想剩下的壽命」——理查．費曼

「不是含著金湯匙出生，也可以成功的三個祕訣」——孫正義，日本軟銀集團創辦人兼社長

「為什麼大師的書架上只有舊書？」——牛頓

讀著這些標題，我相當好奇，但是又不想中斷抄寫目錄，所以我先在這些標題旁邊畫個圈，等目錄全都抄寫完畢，才翻開這些標題對應的頁數閱讀。如果沒有運用目錄閱讀法，或許會記錄在某張紙上或其他地方，但是這些內容恐怕無法再重讀，也難以在需要時派上用場。然而，目錄筆記本不同，只要做好記號並確實抄寫，就能在需要的時候隨時利用。

駕駛汽車或走在道路上，經常能看見兩樣重要的設施——紅綠燈和交通標誌。有了紅綠燈，交通才能井然有序，減少駕駛發生事故。有了交通標誌，道路才能維持安全，駕駛也才能預測接下來道路的狀況，事先做好準備。

這種特色目錄閱讀法中也能看到。

閱讀目錄時，會讀到好奇的部分和重要的內容，事先做好記號和抄寫，就能更快、更輕易地找到相關的內容。

25 學會用一句話說書

「所有美德都總結為恰到好處的行為」

——亞里斯多德，古希臘哲學家

讓人留下深刻印象的方法很多，可能是送對方禮物，感動對方，也可能是和對方聊天，分享彼此的心情，或是寫一封感人的信、吃一頓美味的料理。讓對方印象深刻的方法因人而異。

其中，我認為最好的辦法，是寫一篇蘊含各種複雜情感的文章。如果話語是透過人們的聽覺傳達，那麼文字就是透過靈魂之窗傳達。親筆寫一篇文章，更能透過眼睛和手傳達心意。

在我大學時代，每到寒暑假，都得去訓練所接受軍事訓練。你可能很驚訝：「大學生為什麼要接受軍事訓練？」我當時的身分是預備役軍官，所以和其他大學生不同，寒暑假必須剪短頭髮，帶上訓練時需要的軍用物品，到訓練所接受一段時間的軍事訓練。雖然臉上看起來稚氣未脫，不過俐落的頭髮和眼神透漏著一絲緊張。

進入訓練所後，必須遵守嚴格的紀律，習慣受約束的生活。雖然這是成為軍官的過程，不過當時身為學生的我，難免感到些許遺憾。在艱苦的訓練中，會有固定的休息時間，用來喝水或上廁所。廁所的牆壁上，到處寫滿名言佳句，平常不可能會有共鳴的句子，在那時卻深深打動了我，至今我還記憶猶新。可見一句話能帶來如此大的感動。

目錄的藝術：用一句話總結一本書

如果要用一句話來定義目錄閱讀法，我會說那是「目錄的藝術」。目錄涵蓋整本書的內容和核心，所以相當重要，能在閱讀時幫上大忙。

想必各位為了執行目錄閱讀法，已經抄寫好書名和目錄，也搭配著目錄筆記一起閱讀了，還已經將需要的內容，一起抄寫在空白處。光是做到這個程度，就有助於降低書本帶給人的壓力。

我在抄寫完目錄，對照著目錄閱讀時，最後一定會做一件事情——用一句話總結。

「用一句話總結」，意思是盡可能找出書中的核心內容，用一句話來總結，不必想得太困難，簡單來說，就是用一句話來說明一本書。

目錄閱讀法「用一句話總結」的三步驟：

1. 攤開目錄筆記本讀目錄。
2. 抄寫完目錄後，翻到結尾處。
3. 在目錄結尾的下一頁，寫上一句話。

讀懂目錄才能做出精準總結

想要用一句話總結一本書，必須先抄寫完目錄。如果沒有目錄，總結出的一句話便會與書本缺乏關聯。

攤開目錄筆記本先讀過一遍目錄，如果已經讀懂目錄，就可以省略這個步驟。

翻到結尾處，為全書做結

抄寫完目錄後，翻到結尾處，就能看見目錄中結論的標題。可以選擇直接寫在結論下方，也可以寫在下一頁。根據前文介紹過的幾種抄寫法的不同，彼此有所區別。如果是兩頁抄寫法，可以不必換到下一張，直接寫在同一頁的空白處。不過，如果採用完成度最高的多頁抄寫法，那麼寫在下一頁也無妨。

雖然是用一句話總結，不過寫下這句話後，還可以繼續補充相關的內容。

兩大方式總結

如果你已經抄寫完目錄，也讀懂目錄、翻至結尾，接下來就到了用一句話總結的階段。用一句話總結的方法有兩種：

1. 用一句話總結。
2. 用一句話總結後，補充次要內容。

用一句話總結時，應盡可能寫出原書的核心內容。只要先讀過書名和目錄，再寫下想總結的內容就好。

為了寫出正確的總結，我們自然而然會去讀正文。不過，總結時並不是要總結整本書，如果總結整本書，得花上不少時間，也違背了目錄閱讀法的宗旨，而是用一句話說明。**用一句話總結後，未來便容易回憶，也方便向他人介紹這本書。**

接下來的步驟也相當重要。用一句話總結後，再寫下自己針對該議題想發表的看法。

以我的經驗為例說明。我在執行目錄閱讀法時，曾用一句話總結二志成作家的《夢想成真的力量》。這本書要傳達的核心是「R=VD」，R是「實現」Realization 的縮寫，V是「生動」Vivid 的縮寫，D是「做夢」Dream 的縮寫。

如果要用一句話總結《夢想成真的力量》，可以這麼做：

1. 用一句話總結：做夢就能實現。
2. 用一句話總結與補充附加內容：夢想越生動，心中的理想就會在真實生活中實現。

・前美國總統喬治・華盛頓（George Washington）、武術家李小龍、英國搖滾樂團披頭四和美國畫家史考特・亞當斯（Scott Adams）等人，皆實際運用這套公式實現夢想。

・實踐這套公式所使用的方法為文字化VD技巧。

・文字化VD技巧有三個步驟。

「用一句話總結」是用一句話濃縮書中核心內容的方法。「用一句話總結與補充次要內容」在用一句話總結後，列舉與之相關的例子或方法，我稱做「用一句話總結升級版」。如果覺得後者較複雜、麻煩，僅用一句話總結也足夠了，因為前面已經將書中重要的部分抄寫在目錄筆記本上，過程中也已瀏覽過需要的內容。

感動人心的方法很多也很不同，比如，真心獻唱一曲或提供對方喜歡的禮物等。其中，最令人感動的方法，我想應該是真心誠意寫給對方的一封信。

閱讀時也是如此。

閱讀結束後，用一句話表達自己心底真誠的感想，那麼埋藏在內心深處的感動將綻放出美麗的花朵。

26 增添關鍵細節，提高活用度

「我們的成功表明，競爭對手的管理層對下層的介入未能堅持下去，他們缺乏對細節的深層關注。」

——佛萊德．泰納（Fred Turner），前麥當勞總裁暨執行長

梵蒂岡的聖彼得大教堂（Basilica Sancti Petri）有一座《聖殤》（*Pietà*），韓國慶尚北道慶州市有一座「石窟庵」。這兩件藝術品的創作者、創作年代、創作目的皆不相同，然而，它們有一個共通點，皆在藝術家的努力和奉獻下誕生。或許是因為蘊含藝術家的奉獻，《聖殤》成為文藝復興時代最具代表性的作品，而韓國的石窟庵則在一九九五年被列入聯合國教科文組織世界文化遺產，目前正以韓國國寶第二十四號受到良好保

存。親眼見到這兩件作品，人們總會不知不覺發出驚嘆。

在眾多藝術作品中，《聖殤》與「石窟庵」能夠擁有今日的盛名，我想祕訣就在於提升作品完成度的「細節」。

做筆記也有不可或缺的細節

起初我在執行目錄閱讀法時，並沒有考慮細節。更正確來說，我認為一、兩本左右的少量內容，不太需要在意細節。然而，從一、兩本累積到五本、十本的那一刻，我才切身體會到，即使只是筆記本也需要細部功能。尤其是臨時想起抄寫在筆記本上的內容時，更是如此。目錄確實有記錄在筆記本上，但是偶爾會有需要查找紀錄的情況。為了找出相關的內容，必須從頭到尾一張一張檢查。甚至得出動雙手，一邊固定其中幾頁，一邊繼續翻找。這促使我開始思考如何解決不便，最後找出三種方法：

1. 做筆記本目錄。
2. 編筆記本頁碼。
3. 為看過的圖書編號。

為筆記本製作一目了然的目錄

目錄閱讀法尤其強調目錄的重要。比起單純的閱讀，抄寫目錄能獲得更大的閱讀效果。基於這個特點，需要為筆記本內的目錄額外製作總目錄，當筆記本有了總目錄後，就能一眼掌握抄寫在筆記本上的所有書。只要用一張紙整理好所有內容，就可以幫助我們快速瀏覽筆記本裡抄寫的書目。

編頁碼讓完成度和使用效率加倍提升

為目錄筆記本編頁碼，能提高目錄閱讀法的完成度，也能提升使用效率。目錄筆記本的頁碼要和筆記本總目錄相呼應。

為筆記本製作目錄，並且填上每本書的書名後，接著便需要能立刻檢視內容的頁碼。只要瀏覽總目錄，就能立刻翻到想要前往的對應頁數。如果沒有頁碼，就得從第一頁開始翻找整本筆記本，才能找出自己需要的內容。

為抄過的每本書編號，管理自己的書庫

如果你已經開始執行目錄閱讀法，會發現抄寫的書本數不斷增加，但是光從筆記本的封面，看不出自己具體抄寫和讀過幾本書。所以需要「為每本書編號」，記錄自己抄寫和讀過多少書，也能立刻確認這本目錄筆記本中，具體抄寫了幾本書、讀過幾本書。

如何呈現目錄筆記本中的細節？

前文介紹三種提高目錄筆記本完成度的方法，接下來說明如何呈現細節。

兩大製作目錄的方法

目錄的製作有兩種方法：

1. 在抄寫書名和目錄之前，先為目錄筆記本製作目錄。
2. 在抄寫完全部書名和目錄之後，再為目錄筆記本製作目錄。

更具體的說明，可以參考下一節「如何製作目錄筆記本的目錄」。

選擇頁碼的位置

編頁碼的方式有兩種：

1. 標註在筆記本頂端。
2. 標註在筆記本底端。

選好其中一種方式後，再選擇頁碼的三種位置：

1. 中央：將頁碼標記在中央，不偏向左邊或右邊。
2. 內側：標記在頁面的內側，使頁面看起來較整潔。
3. 外側：多數圖書的頁碼標記方式，也是人們最熟悉的方式。

用文字說明較為冗長，看起來可能顯得艱深，不過總歸一句，就是為筆記本標記頁碼，只要方便自己立刻找到需要的資訊就好。不少筆記本都有提供標記頁碼的位置，也可以將頁碼寫在此處。

為圖書編號，但不與頁碼重疊

圖書編號的方式可以分為兩種：

1. 外側：是人們熟悉的方式，一眼就能看清楚。
2. 內側：特色是頁面看起來較乾淨。

要特別注意圖書編號的位置應避免和筆記本的頁碼重疊。

人們常說一句跟時尚有關的話：「時尚的完成度在於細節。」這裡的細節指的是鞋子、領帶、衣袖長度、皮帶或飾品等。對於這些細節，有些人可以立刻記在腦中，有些人卻需要一些時間消化。

目錄閱讀法也有這種特色。

目錄閱讀法的細節在於總目錄、頁碼和圖書編號，雖然看似微不足道，卻能藉此獲得極大的效果，還能節省我們的時間，提高閱讀的價值。

27 如何製作目錄筆記本的目錄？

「我沒有遠大的夢想，只是腳踏實地工作而已。」

——羅曼・阿布拉莫維奇（Roman Abramovich），俄羅斯富豪

韓國最具代表性的入口網站是NAVER，而美國則是大企業谷歌（Google）。兩家企業的共通點，就是搜尋能力，尤其谷歌更以搜尋引擎成為全球規模最大的入口網站。隨著網路與智慧型手機的發展，越來越多使用者在遇到問題時，會透過入口網站搜尋解決方案。搜尋功能就像一把萬能鑰匙，解決人們所有的疑惑。有任何疑難雜症，只要利用網路搜尋就能解決。搜尋功能解決了人們的疑惑，也節省了時間。而目錄也發揮同樣的功能，長期進行目錄閱讀法寫滿筆記本後，自然需要功能類似搜尋引擎的總目錄。

製作總目錄的兩種方法

前文也有提及，有兩種方法製作目錄筆記本的總目錄：

1. 事前製作總目錄。
2. 事後製作總目錄。

事前製作總目錄

先製作目錄筆記本的總目錄，再將書中內容抄寫在目錄筆記本上，也就是在抄寫書本的書名和目錄前，先選定該筆記本上要抄寫的書籍和書籍類型，再進行抄寫。**事前製作目錄的方式，能幫助你事先選好要抄寫的書籍領域**。

執行目錄閱讀法後，再製作總目錄

先將書名和目錄抄寫在筆記本上，最後再整理出一份目錄，也就是整本筆記本寫完後，再回到筆記本的第一頁，綜合所有書籍資訊。使用這個方式，可以不必事先煩惱要抄寫哪些書，**無論是什麼類型的書，都可抄寫在同一本筆記本上**。

事前和事後製作總目錄的優缺點

我在剛開始執行目錄閱讀法的時候，並沒有想到要替筆記本製作目錄，僅僅將自己閱讀的書目錄抄寫下來，接著閱讀正文，想著能解決自己的困擾就好。持續進行目錄閱讀法，越來越需要一套系統，我了解編目錄會更有效率，優點也更多。所以經過一番思考，決定利用這本書的部分篇幅，說明兩種製作總目錄方式的優缺點。

事前製作幫助聚焦特定領域，卻也限縮閱讀類型

如果選擇事前製作目錄，相當適合抄寫特定領域的書，當一本筆記本寫滿之後，這本筆記本將會成為一本有關該領域知識的紀錄。

舉例來說，如果選擇事前製作目錄，假設有一本二十張紙的筆記本，那麼便需要能寫滿這二十張紙的書。若書籍類型選擇經濟領域，就得先選好抄寫在二十張紙上的經濟領域書籍。假設採用兩頁抄寫法，也就是筆記本中每一張紙的正面抄寫書名，背面抄寫目錄，等於要抄寫二十本經濟相關書籍的書名和目錄。那麼這本筆記本，便是一本與經濟相關的目錄筆記本。

換句話說，一開始雖然得思考要抄寫什麼領域的書，

優點	缺點
可以集中抄寫特定領域的書籍	限定特定領域的書
目錄筆記本的目的明確且有系統	必須事先思考要抄寫哪些書
時間越久，完成度越高	一開始需要花時間構思目錄

圖表 4-1　事前製作目錄的優缺點

不過一旦決定好，未來即使抄寫不同書籍，也因為已經事先構思好書名和目錄，只要花時間抄寫進筆記本內即可。此外，由於已經事先想好筆記本的架構，所以筆記本不僅井然有序，完成度也相對較高。

事後製作自由度高，卻少了專業度和系統

事後製作目錄沒有特定的格式，也不受任何框架的局限。先進行目錄閱讀法，將書名和目錄抄寫在筆記本上，當筆記本全部寫滿後，再將抄寫的書名和資訊，另外整理成一份目錄即可。

舉例來說，假設一本筆記本共有二十張紙，目前已透過目錄閱讀法寫滿筆記本，這時只要從第一張到最後一

優點	缺點
不必事先煩惱目錄內容	難以預測目錄的內容
製作目錄的方式自由簡單	目錄筆記本的專業度可能較低
執行目錄閱讀輕鬆無負擔	目錄筆記本缺乏系統

圖表 4-2　事後製作目錄的優缺點

張，將抄寫過的書名另外整理成目錄即可。

可以手寫，也可以電腦打字

整理目錄筆記本目錄的方法有兩種：

1. 手寫。
2. 電腦打字後印出。

手寫使目錄吸引目光

第一種方式是直接手寫在筆記本上。整理時，先抄寫書名，建議寫完書名後，寫上對應的頁數。因為未來閱讀筆記本時，讀完目錄中的書名後，就能立刻翻到對應的頁數查看。

雖然採用手寫需花費時間和精力，不過因為用心地抄寫，重讀時，這些目錄會立刻吸引目光，讓我們想繼續讀下去。

用電腦打字節省時間

使用電腦打字整理目錄時，一樣要打出書名，也附上對應頁數。除了需要電腦，還需要印表機列印出整理好的目錄。印出目錄後，可以貼在目錄筆記本內或隨身攜帶。用電腦打字的好處，在於可以快速完成目錄的整理。

這一節說明如何為目錄筆記本製作目錄，根據製作方式的不同，在目錄筆記本的運用上也會有所差異。**如果事前製作總目錄，可以集中閱讀特定領域的書籍。如果先將書**

名和目錄抄寫在筆記本上，再整理總目錄，則可以把各種類型的書籍放在一起。只要根據自己的目的和情況選擇就好。

此外，也可以混合兩種方式，例如：先決定特定領域的書，事後再來製作目錄，或事先製作目錄，之後再抄寫不同領域的書。

無論如何，最重要的是抄寫每本書的目錄，提高目錄閱讀法的活用度和實用度。希望目錄閱讀法能為你帶來些許幫助。

第 5 章

為忙碌的自己打造閱讀時間

28 讓結果大不同的因素——「用心」

「讀書使人知識淵博，言談使人處世機敏，寫作使人判斷精準。」

——培根（Francis Bacon），英國著名哲學家、政治家和科學家

影片分享網站 YouTube 上，和食物相關的影片，無不受到大眾的喜愛，美食餐廳也成為旅行中相當重要的一環。不少美食愛好者旅行的目的就是為了走訪美食餐廳。走在路上，經常可以看見一些餐廳門前大排長龍的景象。人們甘願付出等待的時間，只為了吃到眾人口耳相傳的美食。

即使賣同一種食物，有些餐廳門庭若市，有些則是門可羅雀，當中想必有各種原因，像是食物的滋味、店員的親切度或店內的整潔等。在各種原因的影響下，造成了不

同的結果。其中，我認為影響最大的因素在於「用心」。用心做好每一道端到客人面前的食物，相信客人也能感受到店家的真誠。同樣地，目錄閱讀法也有一個相當重要的條件，就是在抄寫當下付出真心。在抄寫目錄時，如果每一個字都用心抄寫，你的用心必將如實展現在筆記本上。

讓人想一讀再讀的工整文字

以前的我在閱讀時，總會將心中的想法或情緒，盡可能快速寫在空白處，並沒有把字寫工整或按照格式書寫的想法，因為擔心靈光乍現就不再出現，所以必須盡快寫下來。這樣潦草記錄的後果，便產生了一個問題——之後重新翻開書本時，看不懂自己到底寫了什麼。

不過，在執行目錄閱讀法後，情況完全相反。在抄寫書名和目錄的同時，我努力想將字體寫得工整端正，不知不覺間，我變得更用心抄寫。以書名為例，有些書名的字體相當大，如果遇到這些書，為了盡可能和原書封面的內容一致，我會用尺測量筆記本的比例，像畫畫般細心抄寫。或許是因為特別用心抄寫，完成後覺得很有成就感和價值。此外，未來重讀目錄筆記本能一目了然，心情也隨之變得愉快。那一瞬間，我看見用心抄寫的真正價值。

在執行目錄閱讀法時，用心抄寫必定會看見這些好處：

1. 一目了然。
2. 讀過一遍還想再讀。
3. 做為紀錄的價值。

攤開筆記本，所有資訊一目了然

走在路上，目光常會被懸掛在建築物外的各種廣告招牌吸引。雖然街上的廣告招牌很多，卻可以一目了然，知道有哪些店家。儘管招牌上字體、文字大小和顏色各有不同，路人還是能一眼看清眼前建築物的招牌。

這種特色也適用於目錄閱讀法。用心將目錄抄寫在筆記本上，就能一目了然。

閱讀無負擔，讀過還想再讀

人的一生中，想必都有過收信或寫信的回憶。寫信時，我們塗了又寫，書寫和塗改的動作不斷重複，可能是內容不滿意，也可能是寫錯字。收到別人寄來的信時，我們不會輕易丟棄，因為信中有寄件者花費的心思。並且信件讀過一遍後，偶爾回想起，還會想再次翻開閱讀。這種特色也適用於目錄閱讀法。只要是用心抄寫工整的筆記，不僅重新閱讀時開心，也會想一讀再讀。但如果沒有用心對待文字，就算抄寫下來，也不會有想翻開重複閱讀的想法。

做為紀錄的價值

紀錄，指一旦寫下來，就能長久保存。韓國朝鮮時代的《朝鮮王朝實錄》、《牧民新書》和《承政院日記》，中國的《史記》、《論語》、《大學》、《中庸》、《孟子》等書，這些過去的資料之所以能保存至今，都是因為留下紀錄，也因為字字句句都用心書寫，所以才能歷經數十、數百年而不衰。

從紀錄的層面來看，目錄閱讀法具有絕對的價值。這也是為什麼需要用心抄寫在筆記本上的原因。這些抄寫在筆記本上的內容，不知道在何時會以何種用途帶給你幫助。

帶來可流傳一生的價值

以前，我難免有會對書本感到抗拒的時候。在偶然的機會下，我把書名和目錄抄寫在筆記本上。神奇的是，在我抄寫的過程中，各種雜念紛紛消失，我得以全心全意投入在當下。雖然沒有花很長的時間在抄寫筆記上，但那一瞬間內心感到相當輕鬆與清澈。也許是因為這種感受，日後我抄寫的次數變得頻繁。抄寫完一本書，又接著抄下一本，不知不覺間，筆記本全都寫完了。因為相當用心，所以每一本筆記本都成為我最珍貴的寶物。

離鄉背井的人們，都有著「思念」的共通點。對家人、對故鄉、對友人的思念等。思念使人們在不知不覺間陷入鄉愁。這些人都有一個共同的思念，那就是「家常飯」。雖然外食可以填飽肚子，卻似乎少了一味。即使肚子飽了，內心卻依然感到空虛。出現這種感受時，人們總會說那是

「想念家鄉的滋味」。這種滋味的差異，或許是來自於家人的用心吧！

可見用心是如此的重要。同理，目錄閱讀法如果缺乏用心，日後重新閱讀時，必定會感到空虛。

在這短暫的時間內，若能用心執行目錄閱讀法，帶來的價值將可流傳一生。

29 只讀兩三頁就能一目了然

「讀書有益於心靈，如運動有益於身體。」

——理察．斯蒂爾（Richard Steele），愛爾蘭隨筆作家

近來有許多人到咖啡廳喝咖啡。走進咖啡廳，人們讀著有各式各樣品項的菜單點餐，有各類咖啡、飲料和茶飲等。菜單的設計，使人可以一次瀏覽所有內容，所以人們才能在點餐時，一邊看著菜單，一邊選擇自己喜歡的品項。同樣地，**如果要舉出目錄閱讀法的優點，便是整本書一目了然**。

以前，我以為閱讀是從「讀」書開始，像是讀完目錄再讀正文，或跳過目錄直接閱讀正文。比起不閱讀，閱讀在各方面都有好處，能為我們帶來許多幫助。然而，我進入

職場後，生活出現轉變。如果我有充裕的時間可以閱讀，那麼書本分量再多、內容再艱澀，都不是問題。書本分量太多，多花點時間就能全部讀完。書本內容太艱澀，只要不放棄，總有一天可以讀完。

最大的問題就是時間，我不可能一天二十四小時都用在閱讀。我一天在公司待八個小時，無法細讀一本書，只能閱讀部分或核心內容。這樣閱讀，有些書的內容怎麼也記不起來，而且在時間緊迫的情況下，攤開書本，有時怎麼樣也無法集中注意力，有些書甚至連翻都不想翻。這些情況不斷持續，我對書本的興趣逐漸降低。

章節標題能總結兩三百頁的內容

自從我遇見目錄閱讀法後，這些情況出現改變。目錄所占的頁數最少二到三頁，正文的分量約兩百頁到三百頁左右，除了核心內文，還包含補充說明、例證和圖表等。所有內容都對於閱讀該書有幫助，但是就算讀完整本書，也難以記住全部內容。相反地，目錄雖然只有二到三頁，卻能用一個章節標題總結兩百到三百頁所要傳達的內容，可見一本書中目錄相當重要。光是讀完目錄，再讀相關內容遠遠不夠，因為這樣還是只讀到部分內容。反之，**從抄寫全部目錄開始閱讀，執行目錄閱讀法，只要抄完整個目錄，就能得到讀完整本書的效果。**

在閱讀時，為什麼使用目錄閱讀法極為重要，有五大原因：

1. 由抄寫開始。
2. 就算不背下來，也能記住。
3. 讓人仔細閱讀整個目錄。
4. 能專注閱讀。
5. 快速付諸實行。

抄寫達到讀完整本書的效果

聽見「閱讀」一詞，腦海中通常會浮現手裡拿著書，用眼睛讀書的樣子。這是因為我們從小就把閱讀當作是「讀」書的行為。如果讀完書可以立刻看見效果，那倒沒關係，問題是許多人讀了書，卻看不見任何效果。

目錄閱讀法的根本是由「抄寫」開始，比單純的閱讀效果更好。目錄閱讀法必須把目錄從頭到尾抄寫一遍，所以即使沒有讀完整本書，也能藉由抄寫目錄達到讀完整本書的效果。

配合筆記本，不背下來也能隨時記住

閱讀時，我們常誤以為當下已經記住書中內容。然而經過一天後，許多內容已經記憶模糊。目錄閱讀法由抄寫目錄開始，將目錄抄寫在筆記本時，便不再需要記在腦中。

此外，透過抄寫的行為，也讓我們自然而然閱讀，並且在抄寫的同時反覆閱讀。換句話說，把書名和目錄抄寫在筆記本上，自然而然能達到反覆閱讀的效果，即使忘記書中內容，也只要翻開筆記本反覆閱讀即可。

抄寫讓人真正讀懂目錄

在我運用目錄閱讀法前，總以為自己已經把目錄看熟了，直到開始執行目錄閱讀法後，才發現那是錯覺。在抄寫目錄的過程中，單憑閱讀無法發現的內容映入眼簾，這也代表單憑閱讀目錄是不夠仔細的。

專注度大幅提升，不受外界干擾

以前我在閱讀時很容易分心，尤其是在咖啡廳讀書，如果有人從身邊經過，或是窗外有路過的行人，我總會轉頭確認。手機發出通知時，也會立刻查閱。雖然我在閱讀，卻無法專注其中。

直到開始目錄閱讀法後，我才得以專注在筆記本上。把書上的目錄抄寫在筆記本時，我完全投入在抄寫的行為，即使手機通知聲響起，也會在抄寫結束後再確認。

快速掌握該書重點，落實改變自己的方法

閱讀尤其注重實踐，如果只是閱讀而沒有實踐，書本的效果便大打折扣。一般來說，閱讀期間很難立刻實踐書中內容，必須整本書讀到最後，才能嘗試付諸實行。

在我執行目錄閱讀法後，發現目錄當中有不少重要的內容，也有一些章節標題讓人想立刻實踐，也就是說，即使沒有閱讀正文，光是讀目錄的標題也能立刻實踐。

百貨公司雖然只是一棟建築，內部卻有許多設施可供使用，還販賣種類豐富的商

品，相當方便。例如：餐廳、電影院、服飾、化妝品、鞋類等，不一而足。也許是因為商品種類繁多，每到週末，百貨公司總是人山人海。

如果百貨公司內的餐廳、電影院、服飾、化妝品、鞋類等設施與商品距離遙遠、不好到達，想必會因為相當不方便而人潮逐漸減少。

閱讀也是如此。如果只讀書中的一部分，很容易忘記書中的內容，相當不便。要是能利用目錄閱讀法，從抄寫開始，那麼閱讀將更有效率，效果也會更好。

30 追求「極簡」，掌握需要和不需要

「簡單比複雜困難。為了讓事情變簡單，必須拚命努力釐清思考。不過，這麼做有其價值。因為一旦抵達目的地，就連山都能為之移動。」

——史帝夫．賈伯斯，蘋果創辦人

蘋果創辦人史帝夫．賈伯斯終生強調極簡。關於他的極簡思想，在美國作家肯恩．西格爾（Ken Segall）的《簡單》（*Insanely Simple*）一書中，提到賈伯斯接受《新聞週刊》（*Newsweek*）訪問時，曾這樣介紹蘋果公司化繁為簡的能力：

當你剛開始解決一個問題的時候，找到的第一個解決方案會非常複雜，大部分

的人也就因此放棄了。但如果你繼續下去，如同剝洋蔥皮一般，一層層找到問題的核心，往往能找到非常優雅而簡單的解決方案。

透過訪談，可以知道賈伯斯生前強調與重視極簡的程度。

提到極簡，一般人都會和容易的事情畫上等號。然而，容易和極簡有所區別。**為了追求極簡，我們必須精準掌握需要和不需要的部分**。以雕像為例來簡單說明。雕像在遇到雕刻師之前，只是一塊平凡的石頭，甚至只是一張平凡的圖像。如果只看雕像的原形，從石頭或圖像無法判斷是用在什麼地方的物品。然而，經過雕刻師的巧手，就此蛻變為一件藝術品。

極簡的三大條件

在生活周遭，可以看見一些追求極簡生活的人，他們的生活拒絕複雜，只使用維持生活所需的最基本物品。想要過上極簡生活，必須滿足幾個條件：

1. 清空。
2. 丟掉不需要的東西。
3. 認清自己需要的東西。

清空物品和煩惱，達到極簡

極簡生活的第一個條件是清空。清空有兩種解釋，一種是清出實際空間，另一種是清理自我內心。想要清出實際空間，必須捨棄物品。而想要清空內心，必須放下煩惱。

丟掉不需要的東西

在清空前，必須先知道什麼東西是不需要的，可能是家中長久沒有使用的物品，也可能是占據內心的煩惱。果斷丟掉這些不需要的物品和不必要的煩惱吧！

認清自己需要的東西

為了追求極簡，也該認清自己需要什麼。如果你已經丟棄不需要的物品，自然會騰出空間。這個空間不該再隨便填滿，而是要知道自己真正需要什麼，再放進空間裡。

極簡的道理也適用於閱讀。如果閱讀時滿腦子都是複雜的想法，即便讀了書，也進不到頭腦裡，還會立刻感到厭煩。此外，部分閱讀法相當複雜，越複雜就越困難。閱讀法越難，人們越容易把重點放在閱讀的行為上，而忽略閱讀的本質。

追求極簡閱讀的三大特徵

簡單是目錄閱讀法的特色，只要把書名和目錄抄寫在筆記本上即可。目錄閱讀法具有以下特徵：

1. 簡單明瞭。
2. 任何人都辦得到。
3. 一點也不複雜。

簡單，有紙、筆和目錄就能執行

現今有許多人擁有駕照。過去的汽車都是以手動操作的手排車，隨著技術的發展，自排車開始出現，代表駕駛方式變得越來越簡單。

目錄閱讀法是簡單明瞭的做法，只要準備好筆記本、筆和一本書的目錄，就能立刻執行。準備好必要的物品後，依照順序把書名和目錄抄寫在筆記本上即可。

不受年齡、學識限制，任何人都辦得到

在發明出韓文前，人們必須熟悉漢文才能閱讀文章。然而，一般百姓難以接觸漢文，所以對不懂漢文的人來說，要表達個人意見相當不便。然而，韓文發明後，一般百姓也能表達自己的想法。

任何人都能完成目錄閱讀法。雖說不同種類的書籍可能情況不同，不過只要有書名和目錄，任何人都能執行。

好懂、好上手，一點也不複雜

在現代社會，人們可以發訊息給地球另一端的人，和他們通話與溝通。智慧型手機讓跨區域的溝通成為可能。如果智慧型手機不易使用，或許就不會如今天這般發達。

目錄閱讀法也是如此，好上手，一點也不困難，沒有一定要讀幾本書以上，或一定要在多少時間內讀完的要求。準備好所需的物品，就能立刻執行。或許一開始會不太習慣，不過只要做過一遍，便完全可以做到。

世界上有許多閱讀法，無法斷言其中誰對誰錯，只能說，在這些閱讀法中，有些適合自己，有些不適合。

但是，有一點我想叮嚀各位。選擇什麼樣的閱讀法都沒關係，千萬別選擇不夠簡單明瞭的方法。可以檢視自己正在執行的閱讀法是否簡單、是否是任何人一學就會的。閱讀法不應該過於困難，而是任何人都有能力使用的工具。

在這個層面上，目錄閱讀法既簡單又明瞭。

只要學過一遍，任何人都辦得到，而且還能因應不同情況彈性改變。可以在家、公司、軍中、出差、教育機構等場所進行，又能客製化調整。

如果沒有筆記本，有紙也可以做到。如果沒有紙，寫在手冊上也好。不想一次寫完，還能分多次抄寫。

目錄閱讀法可以用一個詞來形容——簡單。

31 用最少時間，發揮閱讀效果

「歷史對我不錯，因為都是我寫的。」

——溫斯頓．邱吉爾（Winston Churchill），前英國首相

學生時代讀過的句子中，有一句話印象深刻：

用最少的投資，獲得最大的效果。

這句話談的是效率。當時人們常說這句話很重要，所以我也跟隨大家想法這麼認定。直到我進入職場工作後，才打從心底領悟這句話的重要，知道為什麼所有公司都如

此強調效率。效率在閱讀上也同樣重要。如果投入閱讀的時間無法獲得相應的效果，那麼只是白費時間。

正視「讀」書的缺點

成為上班族後，我依然努力保持閱讀習慣，像是週末到書店逛逛，或在下班後順路去圖書館看書。但是各種業務、加班和出差，讓我和書本漸行漸遠。人生是否有閱讀，存在相當大的差異，尤其在處理業務時切身感受這樣的差異。保持閱讀習慣的期間，處理業務時，會有更多想法和思考，也許是閱讀的習慣延伸到工作上了吧！但是我發現，閱讀雖然有幫助，效率卻不高。

因為我無法全心全意在閱讀上。書是讀了，留在腦中的內容卻相當有限。在圖書館閱讀時，經常是當下理解，隔天卻忘得一乾二淨。或是向圖書館借書回家看，回到家中，對書本的渴望，反而消失得無影無蹤。在書店買書也是一樣，明明買書的當下，是因為想讀才花錢購買，回到家的瞬間，對書的渴望又消失不見。然而更大的問題是，我讀完書後時常想不起自己讀了哪些書。

抄寫目錄培養閱讀細胞

大概是在這個時期，我開始把書本內容抄寫在筆記本上。起初想法很單純，只是想記下我讀過哪些書，檢視自己閱讀的情況。開始抄寫後，我對閱讀的熱情似乎又重新燃燒了起來，也感受到目錄閱讀法的樂趣。最令我驚訝的是，雖然我**只投入短暫的時間，效果卻遠比單純閱讀還好**。

在抄寫目錄的同時，我感受到閱讀的三大成效：

1. 投入的時間少，效果卻顯著。
2. 可以立刻找到需要的部分。
3. 有把多本書塞進一本筆記本的效果。

投入較少時間，得到最大閱讀效果

抄寫一本書的目錄，所需時間大約十到三十分鐘，即使一筆一畫仔細抄寫，最長也不會超過一小時。

反之，閱讀一本書，大約需要三到四小時的時間，花這些時間讀完整本書，內容也不會全部留在腦海中。

用目錄閱讀法最長只需要一小時，就能記住書中的內容，還能在筆記本上留下紀錄，提供長期閱讀與回想。

立刻找到需要的內容，解決好奇與困難

一般的閱讀方式，為了找出自己需要的部分，必須讀完整本書。然而，目錄閱讀法可以立刻從目錄中找到自己需要的內容。

有時，目錄也直接點出自己需要的內容，在抄寫的過程中，有好奇或需要的內容，可以立刻翻到對應的頁數閱讀。

此外，如果在文中找到自己需要的內容，不妨將相關的核心內容或關鍵字抄寫在目錄旁，日後需要時可以閱讀，更能記得長久。

一本筆記本如同行動書櫃，有多本書的效果

一本書的內容可大致區分為書名、前言、目錄、正文和結語等。其中，書名和目錄當然是最重要的。有了書名和目錄才會有正文。想像你把如此重要的書名和目錄抄寫在

一本筆記本中，還不只有一本書，筆記本有多少頁，就能抄寫多少本書。這本筆記本就像移動的書櫃一樣。

在閱讀時，難免有急事發生，遇到需要離開座位的情況。執行目錄閱讀法時，萬一出現這種狀況，即使還沒抄完目錄也不要猶豫，立刻放下手上的書和筆記本。這項優點正是**目錄閱讀法效率高的原因，抄寫到什麼地方，筆記本上一清二楚，等做完重要的事情後，再次翻開書本和筆記本，能精準找到自己停下的部分繼續抄寫**。

在我抄寫目錄的筆記本裡，有只抄了題目，但還沒抄寫目錄的書，也有開始抄寫目錄，卻沒抄完的書。這些因為急事沒有全部抄完的目錄，日後也利用空閒時間完成了。

在人的一生中，時間是最重要的。因為唯有經歷時間，我們才能體驗人生。也因為身在時間之中，生命才得以存在。

然而，時間不會等待我們千年萬年，而是繼續流逝，明日亦然。在流逝的時間中，最重要的是如何利用時間。不少人卻讓如此重要的時間平白流逝。

閱讀的時間也是如此重要。能投入閱讀的時間相當有限。我們沒有如此空閒的時間，可以整天沉溺閱讀。

但是，**如果要為生命帶來改變與成長，書籍是不可或缺的工具。為了利用這個工具獲得最大的效果，就需要高效率的方法。**

在琳瑯滿目的閱讀法中，既能節省時間，又能帶來效果的，正是目錄閱讀法。

32 揪出被你浪費的零碎時間

「把握時間，就是節約時間。」

——培根，英國著名哲學家、政治家和科學家

我們平時把時間花費在各種情境，例如：等朋友十分鐘、進公司後開始處理業務前的十分鐘、在咖啡廳度過的二十分鐘、在家看電視。可以發現生活中有不少零碎的時間。近來由於智慧型手機的普及，稍有空閒人們就會上網或玩手機遊戲。雖然只用十分鐘、二十分鐘的零碎時間，不過匯聚這些時間是相當可觀的。光是善用一天的用餐時間，每餐節省十分鐘，三餐總計就能省下三十分鐘的時間。利用這些時間提升自己，相信會對我們的生活帶來幫助。

在不同場合找到零碎時間

多數上班族的工作時間從九點開始，我的公司也以九點做為正式開始工作的時間。我會在工作開始前提早到公司，為接下來的工作事先做好準備，像是電腦開機、檢查文具用品、確認同事有無出差、核銷文件、收公文等，提前確認當天的業務行程。一切準備完成後，大約還剩下十分鐘的時間。雖然時間不長，不過我通常會利用這些零碎的時間閱讀目錄，並且抄寫在筆記本上。

在開始工作前的短暫抄寫時間對我幫助甚大，因為九點一到，周遭便充斥著電話鈴聲、開會聲、民眾來訪的聲音，讓人難以集中精神。而工作前短暫的目錄閱讀，可以讓我提高專注力。

運用零碎時間來執行目錄閱讀法的情況相當多，以下場合皆很適合執行：

1. 公司。

2. 家中。
3. 圖書館。
4. 書店。
5. 咖啡廳。

在公司忙裡偷閒的閱讀

一天在公司度過的時間不容小覷，扣除睡眠時間，可以說一天有一半的時間都在公司。在這段時間中，也有我們可以利用的零碎時間，像是開始辦公前、上班時間中的休息時間和下班後的個人時間。

善用開始辦公前的十分鐘，你將會發現工作的專注力有所改變。也可善用上班的休息時間，多數人在休息時間會外出抽菸，或到咖啡廳喝杯咖啡。這個時間可以用來閱讀，配合電腦或手機來抄寫目錄。

在家裡也能對抗懶散的方法

待在家中，難免會有想放鬆的強烈欲望，不是坐在沙發上看電視，就是躺著滑手機。可以利用這些時間進行簡短的目錄閱讀法。看電視的同時，不妨翻開筆記本，寫個一、兩行目錄。如果太累，至少抄下題目。寫了一行字，就會想再多寫幾行。滑手機的時候也是，如果沒有什麼重要的事，點開手機進入網路書店，搜尋想讀的書，抄寫幾行目錄吧！

蒐集圖書館館藏的閱讀習慣

圖書館藏書豐富，環境又安靜，具備閱讀的良好條件。利用這樣的優點執行目錄閱讀法，可獲得不少幫助。雖然圖書館的藏書可以閱讀，不過不能在書本上做記號，而且書本必須歸還，以後可能會忘記書中的內容。能夠彌補這些缺點的，正是目錄閱讀法。

借書後，先抄寫在筆記本上，這個動作，就能讓你了解並記住自己讀了什麼書。

在書店也能迅速記錄

經常可以看見許多人週末或休假日往書店跑。書店最大的好處，就是可以看到最新出版的書籍，也可以一眼看見當天的暢銷書和長銷書，更可以看到其他人在書店短暫閱讀的各類書籍。可惜的是，這些書過目就忘。如果能抄寫和整理書名和目錄在筆記本上，即使閱讀時間短，也能從中獲得一定的價值。不過，因為手上的書並未購買，閱讀的時候務必小心。如果這樣會讓你感到壓力，不妨先記下書名，之後再從網路書店搜尋目錄抄寫。

提高在咖啡廳讀書的專注力

過去人們主要去咖啡廳喝咖啡或飲料，然而在咖啡廳閱讀、看書的人不斷增加，並且客群相當多元，學生、上班族、觀光客等人皆經常光臨。

經常可以看見在咖啡廳閱讀的人，不過會發現這些人閱讀時分心。專注力下降，自然容易忘記自己讀過什麼書。在咖啡廳閱讀時，可準備一本筆記本，把書名和目錄抄下，再開始閱讀。相信專注力會比之前更好，而且在抄寫目錄的同時，也會對書本內容產生疑問和好奇。

只要有目錄，在哪都能閱讀

除了前文提到的場所，還有許多可以運用目錄閱讀法的場所和時機，例如：在醫院等候看診時、在旅行途中、在大學教室內……。只要是可以坐下來閱讀、抄寫，都能運用目錄閱讀法。

找個時間整理你一天的行程吧！最好是寫下自己在什麼地方做什麼事情。如果只靠腦袋回想，大概會以為自己只在有限的空間來回，像是家和公司兩點一線。然而，記錄在紙上，你的生活模式將清楚浮現，可以從一成不便的生活模式中，看見能夠閱讀的空檔。何不利用這些空檔來抄寫和閱讀目錄呢？

就用抄寫筆記本開啟一天吧！哪怕只有一行也好。

一行總會變成兩行，在抄寫幾行字的同時，目錄的內容將記在腦中。而且在抄寫目錄的過程中，會看見好奇的部分，可以在對應的頁數讀到相關內容。

讀過相關內容後，務必在目錄旁寫下總結或關鍵字。儘管這本筆記本是在不同場合中利用零碎時間抄寫而成，不過其價值將陪伴我們一生。

33 有時間滑手機，就有時間閱讀

「字雖簡要，轉換無窮，是謂訓民正音」
——世宗大王，朝鮮王朝第四代國王，原文收錄於《朝鮮王朝實錄》

韓國移動通訊市場調查機構「WISEAPP」，針對韓國安卓手機使用者，進行為期一個月的智慧型手機使用情形調查。結果顯示韓國人平均一天使用手機三個小時。

三個小時的時間並不算短，舉個簡單的例子，假設一次用餐時間是一個小時，相當於三餐都在使用手機。由此可見，智慧型手機在現代人的生活中，占據了相當大的比重。即便如此，在圍繞智慧型手機打轉的世界，遠離手機談何容易。現在起，好好思考如何合理運用花在智慧型手機上的時間，為個人生命帶來改變與成長。

買書回家，卻喪失動力

一到週末，我總會前往位於百貨公司內的書店。一踏進書店，看著店內的裝潢和陳列整齊的書籍，心情豁然開朗，內心似乎得到淨化。尤其在炎熱的夏天，書店更是最棒的休閒場所，能吹涼爽的冷氣，還能到書店內附設的咖啡廳解渴。

書店最大的優點，當然是可以飽覽新書和暢銷書。在架上陳列的書中，如果看見吸引自己的書名，我會立刻拿下來閱讀。

其實，我每次走進書店，都是抱持著「稍微瀏覽就好」的想法，不過最後總會待超過一個小時，如果有想讀的書，也會掏錢買下來。問題是，想看那本書的欲望，只出現於人在書店的當下而已，雖然告訴自己買回家一定要讀，然而不再翻開的書確實不少。

因此，目錄閱讀法為我解決了這個問題，就算只是在書店稍微瀏覽的書，我也會抄下書名和目錄。儘管沒有閱讀正文，記在腦中的資訊反倒比閱讀部分正文還多。相較於閱讀全部內文的時間，抄寫的時間並不長，然而從記錄的層面來看，效果相當可觀。

善用空檔的目錄閱讀法

在日常生活中，偶爾會有一小段的空檔，或許多數人都用這段時間來滑手機，不過累積這些片刻，等於一天投入三個小時，相當可觀。

現在起，活用生活中的空檔執行目錄閱讀法吧！

1. 早晨時間。
2. 開始辦公或開始上課前。
3. 用餐時間。
4. 下班後。
5. 週末和國定假日。

每天提早十分鐘起床，善用早晨時間

無論是上班族、學生，還是企業家，任何人的早晨時間都相當忙碌。然而，在這些人當中，選擇早起開始一天的人正逐漸增加。

讀到這段文字的你，就從現在起，試著每天提早十分鐘起床吧！比平時稍早完成上班的準備，在公司抄寫目錄吧！

用辦公或上課前的時間充實自己

許多上班族會進行進修，其中，閱讀當然占了相當大的比重。然而，多數人的閱讀只是單純的「讀」書，而且進行時間也不長。單純的閱讀無法長期記住書中的內容，所以需要借助提筆記錄的力量。

運用目錄閱讀法讀書，花費的時間雖然短，卻能記住書中內容，又能留下永久紀錄。如果你是上班族，不妨利用進公司後、開始辦公前的十分鐘執行。如果你是學生，就在上課前十分鐘執行。目錄閱讀法的執行時間短，卻能維持長期的效果。不過如果你是學生的話，建議在不影響課業的前提下執行。

用餐時間的空檔比想像中多

無論是上班族還是學生，通常用餐時間會有一個小時。其實，用餐時的空檔出乎意料地多，短則十分鐘，長則三十分鐘。想必多數人會用來抽菸、聊天或滑手機。

讀過這段文字的你，不妨在這些空檔，從抄寫幾行目錄開始，嘗試目錄閱讀法。通常一天會用餐三次，每次十分鐘，一天就有三十分鐘能閱讀。每次三十分鐘，一天就能閱讀九十分鐘。

下班後別急著回家，用十分鐘從閱讀舒壓

多數上班族在下午六點結束公司正式的業務，有時視情況加班，有時能準時下班。若時間和情況允許的話，在下班前十分鐘執行目錄閱讀法，當然是最好的，不過有些上班族的情況不允許，所以下班後先別急著回家，可以順路到咖啡廳坐坐。若會經過圖書館的話，就去圖書館。如果公司有提供閱讀的空間，也可以選擇到那裡讀書。雖然只有短短十分鐘，卻能讓我們暫時逃離職場上面臨的壓力。

精準閱讀讓週末和國定假日不虛度

週末和國定假日是最適合執行目錄閱讀法的時候，利用這個時間把一本書的目錄從頭到尾抄寫一遍吧！抄寫完後，如果想閱讀正文，再按照目錄閱讀法的步驟執行。

匯聚短暫的時間，達到倍數的價值

到咖啡廳喝咖啡或走進書店閒逛時，我們得以享受短暫的悠閒時光。這時，多數人會掏出手機上網，或瀏覽社群網站。

短暫的悠閒時光可能是五分鐘，也可能是十分鐘。而時間的價值因人而異，對某些人來說，可能只是數字上顯示的時間，然而對某些人而言，卻可能是無比珍貴的時刻。

即使是像五分鐘一樣短暫的時間，累積兩次就有十分鐘。十分鐘累積兩次就有二十分鐘。看似短暫，然而匯聚短暫的時間，便增加了兩倍的價值。希望讀到這裡的你，能度過每一段富有意義的時光，而答案就在目錄閱讀法中。

34 怎麼讀，也能有自己的風格

「真正偉大與激勵人的每一件事，都是由那些為自由努力的個人所創造的。」

——愛因斯坦，猶太裔美籍物理學家

許多人去咖啡廳是為了喝咖啡。咖啡廳裡販售品項多樣的咖啡，有美式、拿鐵、冰滴咖啡等，各種咖啡滿足每個人不同的喜好。隨著飲用咖啡的人口逐漸增加，也有學著自己煮咖啡的人。想要親手煮咖啡來喝，需要有決定咖啡滋味的咖啡豆。咖啡豆大致可分為三類，分別是小果咖啡阿拉比卡（Arabica）、中果咖啡羅布斯塔（Robusta）和大果咖啡賴比瑞亞（Liberica），合稱世界三大咖啡豆。

在三種咖啡豆中，還可依照一定比例混合兩種以上的咖啡豆，用咖啡專業術語來說，稱做「配方咖啡」（Blend coffee）。混合兩種以上的咖啡豆調製出來的咖啡，隨咖啡師的口藝不同，會有天壤之別的滋味。這個道理也適用於即將執行目錄閱讀法的你。

別受「讀」的限制閱讀

在韓國最具代表性的入口網站NAVER與全球知名入口網站谷歌，分別搜尋「閱讀」一詞，可以得到以下的結果：

NAVER：為陶冶身心、增廣見聞而閱讀書籍的行為。

谷歌：閱讀書籍或文章的行為。

提到閱讀和書籍，也許多數人腦海中也會浮現如前文所述的閱讀行為。長久以來，我們學到的都是如何「讀」書，也以那樣的方式閱讀。從出生的那一刻開始，在學校和教育機構都是那樣學習，老師也都如此教育我們。我在遇見目錄閱讀法前，也和各位有同樣的想法，認為閱讀就是「讀」書。如果要為閱讀下定義，過去的我會說：「閱讀是一頁一頁『讀』下去的行為。」我從未對閱讀行為的定義，有過任何懷疑和苦惱。

然而，我偶然遇見目錄閱讀法，使我的想法出現轉變。**閱讀的確是「讀」書的行為，但是不必因為單純的閱讀而畫地自限**。如果要用直白的方式來表達，我想告訴你：

我們至今都被「讀」書的行為限制住了。

這句話可能會對正在讀這本書的你帶來不小的衝擊。但是，至少從現在開始，讓我們對閱讀多一點思考和苦惱吧！無論是主動還是被動，我們已經長期進行了單純「讀」書的閱讀行為。當我們進行這種閱讀時，想想這對你的生活帶來多大的幫助？你的生活是否因此獲得改善？

接受由「抄」開始的閱讀

在使用目錄閱讀法前，我也有閱讀時的小習慣，像是讀書時會邊閱讀邊畫底線，如果出現重要的句子或觸動人心的段落，則是另外抄寫在筆記本上。儘管閱讀使我獲得許多幫助，然而隨著時間的流逝，經常有想不起書中內容的情況發生，甚至連自己讀了什麼書、這本書的書名是什麼，都想不起來，只知道自己大概讀了什麼領域的書籍。隨著這類情況反覆出現，我陷入對閱讀的疑惑和煩惱中。

這種想法成為我從另一個角度審視閱讀的契機，於是書一拿到手，我便開始從書名抄寫。僅是抄下書名，就可以讓我記得自己讀過什麼書，不過我想：「既然要抄寫，何不認真記錄？」所以我開始抄寫書封上的書名、副標題、出版社和作者等關鍵內容。

抄寫的當下，我想都沒想過會創造出今天的閱讀法，對於抄寫的方法也沒有計畫和想法，只是為了解決自己讀完書卻記不住的困擾，單純想把抄寫做好。

在抄寫書名時，最先出現的效果是「專注力」。只有單純的閱讀時，書確實是讀了，注意力卻容易分散，不是拿出手機開始玩，就是被他人的動作吸引目光，如果在咖啡廳，還會分心聽別人對話。所以我試著把書中的內容抄寫下來，如此一來，我便開始專注在筆記本上的文字，即使周圍再怎麼吵鬧，也比單純閱讀時來得專注。

目錄閱讀法讓閱讀不再只是「讀」書的行為，而是從「抄寫」的行為開始，並且對我產生以下的轉變：

1. 對閱讀方法的想法有所改變。
2. 看到目錄閱讀法的優點。
3. 了解抄寫的價值。

對閱讀方法的想法徹底改觀

閱讀不必受到「讀」書行為的局限。以前我以為閱讀必須要讀過核心內容，甚至是整本書才算完整。但是，當我把書名和目錄抄寫在目錄筆記本上的同時，自然而然地讀到了整本書的內容。

看到目錄閱讀法的優點

在我運用目錄閱讀法前，每次讀完書總覺得讀懂了，實際上只在閱讀當下讀懂而已。儘管我做了摘要和筆記，但是當我需要查找資訊時，卻又遍尋不著。目錄閱讀法將書籍核心抄寫在筆記本上，未來可以一再翻閱，也因為所有資訊都在筆記本中，查找相當方便。

了解抄寫與紀錄的價值

目錄閱讀法由抄寫開始，將書中重要的資訊寫進筆記本。由於抄寫留下紀錄，即使不刻意記住書中內容也沒關係，令人感到心安。閱讀需要花費時間與精力，然而單純的閱讀可能讓這些時間和精力化為泡影。不過，抄寫在筆記本上的資訊，能發揮保存我們時間與精力的價值。

一套幫助自己去蕪存菁的閱讀法

目錄閱讀法的誕生，是為了解決我的困擾。起初我沒有想過要抄寫目錄，直到我開始抄寫筆記，解決了最初的問題後，才持續尋找更好的方法。在這個過程中，我努力去除不必要的部分，留下更好的方法。努力的成果，便是目前目錄閱讀法的模樣。

可以用雕刻師打造雕像的例子來比喻。為了打造完美的雕像，雕刻師努力去除不必要的部分，在這個過程中，雕像的樣貌逐漸成形。目錄閱讀法也是如此誕生。

正在閱讀本書的你，想必每個人的情況、喜好、價值觀、成長背景和年齡等條件都不相同。所以希望你在運用目錄閱讀法時，不必設限。我期待你能藉由目錄閱讀法對閱讀開竅，透過閱讀改變人生。我也希望你在執行目錄閱讀法時，能去除自己不需要的部分，留下所需的部分，改為自己的風格。

如同藝術家創造充滿個人風格的藝術品一樣。

35 減少衝動購書的狀況

「愛情，眾水不能熄滅，大水也不能淹沒。若有人拿家中所有的財寶要換愛情，就全被藐視。」

——《雅歌．第八章第七節》

特別珍惜某個人、事、物的人，都有一個共通點，那就是「愛」。為愛痴迷的人們，即使經歷困難或遭遇困境，也能憑藉智慧克服一切。對他們而言，眼前的障礙只是通往目標的一個過程而已。

所謂「情人眼裡出西施」，在熱戀期的情侶眼中，對方的一切看起來都是如此美好。而熱愛工作的人，面對工作過程中出現的任何阻礙，都會將它視為另一種祝福，藉此強化自身的能力。我在遇見目錄閱讀法後，開啟了閱讀人生的第二幕。

改善有讀像沒讀的問題

在運用目錄閱讀法後，我對閱讀的方法和興趣徹底改變，特別是購買書籍的方法有所轉變。

以前我只要看到感興趣的書，一定立刻到網路書店購買。購書當下，滿腦子都是想立刻閱讀的急切盼望和熱血沸騰。然而，商品送上門後，滿腔的熱血已經消失，越來越多本書只讀兩、三頁便束之高閣。當這些書堆積在我狹小的套房裡，我的心情也像這些書的重量般日漸沉重。這樣的壓力讓我逐漸對閱讀失去興趣，也產生自我懷疑。還有更大的問題是，讀完書後怎麼也記不起來，看著連讀過什麼書都想不起來的自己，不禁感到心寒。

於是，我先開始把書名抄寫在筆記本上，這時，一些微小的變化也隨之浮現。其中一個是「抄寫和記憶」。在我決定抄寫書名的時候，想法非常單純，就是為了知道自己讀了什麼書。在如此單純的想法下完成的**目錄筆記本，讓原本對自己讀過什麼書都不知道的我，態度從自我懷疑轉變為滿滿的成就感**。而且抄寫下來後，這本筆記本就有了做為紀錄的價值，我可以在需要時取出閱讀。最初的那份單純宛如植物的種子，結出了今日「目錄閱讀法」的果實。

這套目錄閱讀法改變了我的閱讀方法。在閱讀正文前，我會先抄寫目錄在筆記本上，在網路書店下單前，我也會先在筆記本上抄寫目錄。**抄寫一遍目錄後，就能精準了解自己好奇的部分，也能判斷自己是否需要這本書**。

抄寫人文經典，讓知識留在腦海

近年來，人們對人文經典的關注持續增加。在人類歷史上，人文經典具有歷久彌新的價值，而這些價值又在人們的口耳相傳下聲名遠播。

在人文經典達到今日如此流行的程度前，我已經讀過老子、韓非子、孔子和馬基維利等人的經典，以及閱讀《孫子兵法》。我常聽人們說：「人文經典有益人生。」所以我也嘗試閱讀，但是真正留在腦海裡的知識卻不多。如今回想起來，覺得相當可惜。

在遇見目錄閱讀法後，遺憾就此消失。我曾聽現代集團已故創辦人鄭周永會長介紹過一本人文經典《菜根譚》。當我決定透過目錄閱讀法抄寫人文經典時，最先想到這本書。

將目錄閱讀法應用在人文經典類的書籍時，我發現許多優點。為方便讀者理解，以下我以自己讀過的《菜根譚》為例說明。

這本書的目錄羅列了以下幾個小節：

01 弄權一時，淒涼萬古
02 為官公廉，居家恕儉
03 良藥苦口，忠言逆耳
04 閑時吃緊，忙裡悠閑
05 靜中觀心，真妄畢見
06 澹泊明志，肥甘喪節
07 路要讓一步，味須減三分
08 義俠交友，純心作人
09 驕矜無功，懺悔滅罪
10 完名讓人全身遠害，歸咎於己韜光養德
（以下省略）

——洪應明《菜根譚》，韓文本由韓國作家朴正壽編譯成《青少年菜根譚》

由於目錄分量較多，以上介紹前十個小節。**綜觀目錄，僅憑目錄標題，就能知道具體內容。**

到這裡為止，看起來與其他閱讀法所介紹的目錄閱讀沒有區別。不過目錄閱讀法的差別，在於將前述內容抄寫在筆記本上。**抄寫的當下，即可立刻達到閱讀的效果。**另一個更明顯的差異，在於抄寫在筆記本上後，**無論時間過了多久，都能在需要的時候隨時翻閱。**而且在抄寫目錄時，已經事先瀏覽過核心內容，因此閱讀正文自然能更容易理解。

找到改變自己的人生書單

在開始目錄閱讀法之後，我的日常生活也出現了轉變。週末前往書店或圖書館時，情況和過去完全不同。過去前往書店打發空閒時間或轉換心情時，只想著要閱讀，卻不曾想過時間如此短暫，能帶給我什麼資訊或幫助。直到我遇見目錄閱讀法後，每次週末前往書店時，即使是非常短暫的時間，我也不會空手而入，一定會準備一本目錄筆記本和一枝筆。在其他人瀏覽書本的時候，我總想著多抄幾行目錄。每次拿到想讀的書時，一定是先將書名抄寫在目錄筆記本上。經過這些步驟後，決定買回家的書中，有一本改變了我的人生。

那本書是暢銷作家艾妮塔・穆札尼（Anita Moorjani）的《死過一次才學會愛》（*Dying To Be Me*）。一看見這本書的封面，我不知不覺對這本書感到好奇。我立刻將書名抄寫進筆記本裡，接著翻開目錄頁，這時，我看到一句吸引目光的標題：

永恆的自己與宇宙能量

這本書是作者根據自身瀕死經驗所撰寫的，在閱讀目錄的當下，可以推測內容與「世界相互連結」有關。我從目錄對應的第三部第17章開始閱讀。翻開第17章，開頭為以下的內容：

在我經歷瀕死經驗時，覺得自己是跟整個宇宙及宇宙裡的萬物連結在一起。

我讀完目錄對應的正文，得知關於人類永生的驚人事實。於是，我在筆記本的目錄旁，用一句關鍵短語寫下我所理解的內容。

對你而言，什麼是閱讀？

每個人閱讀的目的不盡相同，根據閱讀目的不同，書本對個人造成的影響力也不同。有些人透過書本啟動生命的轉變，也有些人感受不到書本的好。如果你不知道閱讀的目的，就從現在開始尋找吧！

開始閱讀後，我有許多改變與成長，從而領悟到書本之於人生的重要性。然而，從某一刻開始，我發現自己對閱讀存在著許多誤解。看著讀完書後，卻連書名都記不起來的自己深感挫折，也讓我對書本產生反感。

為了克服這個問題，我從單純的抄寫開始，因此有了重新閱讀的契機。而在執行目錄閱讀法的同時，我領悟了一個事實：

閱讀不必非得從「讀」書開始不可。

自從領悟到這個事實，我才放下閱讀對我造成的壓力，得以更自由地享受閱讀，並且像過去一樣再次愛上閱讀、喜愛書本。

現在該是這本書結束的時候了。

或許「目錄閱讀法」聽起來相當陌生，不過我撰寫這本書的目的，無非是希望喜愛書本、熱愛閱讀的讀者，能夠從中獲得些許幫助。

感謝你讀完這本書，我願為你的人生獻上祝福！

結語

讓你閱讀省時、省力、高效又簡單

對你而言，什麼是閱讀？

在讀完本書的這一刻，請你再次問自己：「什麼是閱讀？」

現在的你是否覺得閱讀可以從「抄寫」開始呢？希望你已脫離「閱讀等於讀書」的局限。

希望害怕閱讀的讀者，不再覺得閱讀遙不可及，也希望讀完書便忘得一乾二淨的讀者，能感受到不必刻意將書本記在腦中的喜悅，更希望正經歷閱讀低潮的讀者，體內的閱讀細胞再度充滿生機。

這種轉變後的狀態，我想用「對閱讀的愛」來形容，是一種從渴望閱讀，卻沒有機會閱讀，或將有閱讀卻因故不再閱讀的困境，成功轉換成重新閱讀的狀態。

還有一個必須和閱讀一起思考的問題，那就是「閱讀法」。

我要再問一次：

對你而言，什麼是閱讀？

你心中是否已經有一把尺，能夠從眾多閱讀法中進行判斷和選擇？希望透過本書，你可以知道閱讀法一點都不困難、不複雜，也希望你在眾多閱讀法中，看見不可或缺的要素：

那正是簡單。

只有夠簡單，才能人人易學而成，並且效果顯著、立竿見影。如果閱讀法過於複雜，本該是輔助閱讀的技巧，反而可能浪費精力，使自己承受痛苦。雖然無法斷言每一種閱讀法的好壞，不過，閱讀法至少要能節省時間和精力，同時又有效率，更重要的是簡單。

無論選擇哪一種閱讀法，都該由你做出抉擇。

我期待，有一個人因為這本書而開始閱讀，這個人進而影響周邊的人投入閱讀。周邊的人再影響該地區的人。當閱讀的人聚沙成塔，終將迎來全球人類開始閱讀的那天。

我要再問一次：

什麼是閱讀？什麼是閱讀法？

各位的閱讀和閱讀法，早已開始。

翻轉學 翻轉學系列 094

一天 10 分鐘的精準閱讀力

解決沒時間看書、讀過就忘、無法活用知識的閱讀筆記技巧

목차 독서법：당장 실천 가능한 세상 심플한 독서 노하우

作者　崔殊旼（최수민）
譯者　林侑毅
封面設計　張天薪
內文排版　黃雅芬
責任編輯　黃韻璇
行銷企劃　陳豫萱・陳可錞
出版二部總編輯　林俊安

出版者　采實文化事業股份有限公司
業務發行　張世明・林踏欣・林坤蓉・王貞玉
國際版權　鄒欣穎・施維真
印務採購　曾玉霞
會計行政　李韶婉・簡佩鈺・謝佩慈
法律顧問　第一國際法律事務所　余淑杏律師
電子信箱　acme@acmebook.com.tw
采實官網　www.acmebook.com.tw
采實臉書　www.facebook.com/acmebook01

ISBN　978-986-507-934-5
定價　380 元
初版一刷　2022 年 9 月
劃撥帳號　50148859
劃撥戶名　采實文化事業股份有限公司
104 台北市中山區南京東路二段 95 號 9 樓
電話：(02)2511-9798　傳真：(02)2571-3298

國家圖書館出版品預行編目資料

一天 10 分鐘的精準閱讀力：解決沒時間看書、讀過就忘、無法活用知識的閱讀筆記技巧 / 崔殊旼（최수민）著；林侑毅譯 . -- 初版 . – 台北市：采實文化 , 2022.09
272 面；14.8×21 公分 . --（翻轉學系列；94）
譯自：목차 독서법：당장 실천 가능한 세상 심플한 독서 노하우
ISBN 978-986-507-934-5（平裝）
1.CST: 閱讀 2.CST: 讀書法
019.1　111010483